Une vie de chien
dans un monde de fous

Maurice «Mad Dog» Vachon
en collaboration avec
Louis Chantigny

Une vie de chien
dans un monde de fous

Collection Biographie

Guérin littérature

© Guérin littérature, 1988

166, rue Sainte-Catherine Est
Montréal (Québec)
H2X 1K9

Dépôt légal, 2e trimestre 1988
ISBN-2-7601-2001-5

Bibliothèque nationale du Québec
Bibliothèque nationale du Canada

IMPRIMÉ AU CANADA

Photographies de la couverture:
Maurice «Mad Dog» Vachon. (Shirley Bishop)
Au dos: M. Vachon en compagnie de la fille d'un ami,
la petite Marie-Ève Pothier, et «Hulk Hogan» (Erik Peters).

AVANT-PROPOS

Combien de fois des gens m'ont dit: Mad Dog, pourquoi tu n'écris pas tes mémoires? Tu as voyagé dans le monde entier, tu as rencontré et connu toutes sortes de gens, des vedettes, des personnalités célèbres dans divers domaines. Il t'est arrivé des incidents pittoresques, comiques même, et parfois des choses graves qui auraient pu mal tourner. En d'autres mots, tu as une histoire extraordinaire à conter. Pourquoi, alors, n'écris-tu pas un livre?

Je répondais toujours, poliment, en hochant la tête, que c'était une bonne idée, je me mettrais aussitôt à la tâche dès que j'en aurais le temps et que les circonstances me le permettraient. Mais en moi-même je me disais qu'écrire des livres n'était pas mon métier, que seuls des gens importants, des chercheurs, des savants, certains politiciens, des hommes d'État comme Churchill et De Gaulle avaient des choses passionnantes à dire pour l'histoire et dignes ainsi d'intérêt!

Je ne me suis jamais pris pour un autre. Je connais mes limites, et mes points forts. En fait, ce qui en surprendra plusieurs, j'étais gêné *épouvantable* quand j'étais jeune, timide. À parler, à exprimer mes sentiments, je préférais me battre avec mes poings. En vieillissant, c'est normal, j'ai pris de l'assurance et je maîtrise assez bien ma nervosité aujourd'hui quand je dois faire un discours en public. Mais de là à écrire un livre de trois ou quatre cents pages, c'est une tout autre histoire, et sans doute n'aurais-je jamais publié ces mémoires si l'accident qui m'est arrivé ne m'avait pas immobilisé si longtemps dans divers hôpitaux et une chaise roulante.

À quelque chose malheur est toujours bon, paraît-il, et je dois dire que le dicton s'est révélé juste dans mon cas. Les blessures à mes jambes, l'amputation d'une partie de l'une, mon long séjour dans les hôpitaux m'ont donné l'occasion de méditer, de réfléchir à ce qui m'arrivait, de faire mon examen de conscience et en même temps le bilan de ma vie. Ce qui m'a surtout frappé durant mes réflexions et mes insomnies, c'est à quel point notre sort ne tient pas à grand-chose. Un peu trop à gauche, un peu trop loin à droite, et nous voilà capoté dans le fossé. Ce qu'il peut être dur de vivre la ligne droite dans la vie. Quand j'étais *bouncer* dans les clubs de nuit aux début des années 50, j'ai côtoyé des voleurs, des *pimps*, des gars et des filles de gaffe, le monde interlope, comme on dit. J'ai vu des hommes pas plus mauvais ni plus méchants que d'autres devenir des bandits. J'ai connu très bien des gars qui se sont fait tirer une balle dans la tête, comme ce fut le cas de Gerry Turenne. Vous vous souvenez de l'ancien boxeur René Trudeau, aujourd'hui un agent immobilier florissant? Il était *doorman* dans un club. Un soir, il a dû mettre dehors un gars trop saoul qui faisait du trouble, et le gars s'est retourné et lui a tiré une balle dans le ventre. Vu le nombre de fois que j'ai dû me battre comme un chien enragé dans les clubs de nuit où je travaillais, le Beaver en particulier, c'est un miracle que je sois encore vivant.

Je raconterai, plus tard, dans un chapitre de ce livre, certaines des batailles auxquelles j'ai participé. En citant le cas de Gerry Turenne, je voulais seulement vous donner un exemple des choses sur lesquelles j'ai réfléchi à l'hôpital et en écrivant ce livre. C'est épouvantable le nombre de fois que j'ai échappé à la mort ou à des accidents qui auraient pu m'estropier pour le restant de mes jours! J'ai eu la chance de voir le jour et de grandir auprès d'une mère et d'un père qui m'aimaient. J'ai eu la chance de me retrouver dans une famille de treize enfants où chaque nouveau bébé était attendu et accueilli avec tendresse. Nous n'étions pas riches, ma mère devait compter chaque cenne noire, et je m'émerveillerai toujours qu'elle ait pu nourrir et habiller tous ces enfants avec les trente-cinq piastres par quinze jours que mon père gagnait dans la police de Montréal.

Qui a dit que l'enfance est un jardin enchanteur où, devenus adultes, nous revenons rôder de temps à autre? C'est vrai en vinyenne! À l'hôpital, les nuits que j'avais mal partout et surtout du mal à me rendormir, il m'arrivait, malgré tout, de rire tout seul en me rappelant les tours pendables que nous avons joués, nous, qu'on appelait dans le quartier de Ville Émard la «gang à Vachon». Par quel miracle nous n'avons pas rendu notre mère folle et notre père enragé, je ne parviendrai jamais à le comprendre. De tous les enfants, je le reconnais, j'étais le plus grouillant et le plus tapageur. Je n'étais pas plus haut que trois pommes que je rentrais déjà de l'école ma belle chemise blanche déchirée et le nez en sang. «Va-chon, le co-chon!», ils me criaient, les autres. Alors moi je leur entrais dedans, la bataille pognait, et je n'avais jamais peur de personne. Découragé, hochant la tête, mon père me regardait à la maison et finissait par dire: «Tu t'es encore battu à l'école? J'espère, au moins, que tu as gagné.»

Mon père! C'était l'homme le plus fort de la terre, et je n'exagère pas en disant cela. J'en reparlerai, plus loin, dans le livre. J'allais le dire tout à l'heure, ce livre je l'ai peut-être surtout écrit pour remercier les milliers et les milliers de personnes qui m'ont envoyé des lettres et des cartes postales me souhaitant un prompt rétablissement et le courage de ne pas abandonner la lutte, la lutte pour la vie, je tiens à le souligner.

Des enfants m'ont envoyé des dessins drôles pour me divertir. Une mère m'a cité sa petite fille en exemple qui, invalide, priait pour moi. Les lettres arrivaient par poches pleines, de tous les coins des États-Unis, du Canada et du Québec. Il y en avait tellement que je ne parvenais plus à les lire toutes, encore moins à leur répondre. Ce livre, donc, c'est un peu beaucoup ma réponse et le témoignage de ma gratitude. Du fond du coeur, merci à toutes et à tous. Je ne vous oublierai jamais.

CHAPITRE 1

L'accident

Une explosion de lumière, puis rien, l'obscurité totale je n'ai vraiment rien senti sur le coup, je n'ai jamais eu conscience de l'impact de la voiture sur mon corps. Mais revenons un peu en arrière, aux circonstances qui ont précédé l'accident.

Ce matin-là, je m'étais réveillé, comme d'habitude, aux environs de quatre heures du matin. Comme je le fais tous les matins très tôt depuis que je lutte, je suis sorti pour marcher, histoire de me tenir en bonne forme physique. Autrefois, je courais des milles et des milles comme un boxeur, mais depuis que mes genoux sont en bouillie, c'est-à-dire depuis à peu près trois ans, je marche d'un pas cadencé, le plus rapidement possible.

Ce matin-là, donc, je marchais sur un chemin peu fréquenté, pas très loin de la maison de ma belle-soeur, à Iowa City. Il faisait encore noir, le soleil n'était pas levé, et j'essayais de trouver un terrain solide sur la route où l'on venait juste de mettre de la gravelle. Il y en avait tellement à certains endroit que je calais complètement comme si ça avait été du sable mou. C'est la raison pour laquelle je zizaguais à travers le chemin, tantôt à droite, tantôt à gauche, là où je pouvais trouver du sol solide. À un moment donné j'ai entendu derrière moi le grondement d'un moteur: c'était un tracteur qui remorquait trois roulottes, et que je perdis de vue. C'était à nouveau ce silence si particulier avant le lever du soleil, ces moments de calme et de solitude que j'aime tellement. Puis j'ai entendu de nouveau le bruit d'une voiture qui approchait. Je me suis aussitôt rangé à droite du chemin, et j'ai tourné un peu la tête pour voir les phares de la voiture, la lumière m'aveuglait. Et c'est alors qu'il y a eu cette explosion de lumière dans ma tête, rien de plus. Je n'ai vraiment rien senti jusqu'au moment où je me suis réveillé dans une ambulance.

Là, ça faisait mal. Les os me sortaient de la jambe gauche. Je sentais mon corps se vider de tout mon sang. Les deux ambulanciers tentaient de déchirer la jambe de mon *sweatsuit* avec leurs mains. Puis ils ont coupé avec un ciseau et m'ont fait un garrot à la cuisse gauche. Je souffrais le martyre. «Donnez-moi quelque chose, une piqure, m'importe quoi pourvu que j'aie moins mal!» Ils me répondirent qu'ils ne pouvaient rien me donner avant un examen complet de mon état, ce qui n'était possible qu'à l'hôpital où l'ambulance me conduisait.

Mon sang, je le répète, giclait de mon corps. Non, je n'ai jamais eu peur de mourir ainsi dans l'ambulance, jamais! La Grosse Salope, je la regardais droit dans les yeux, et je lui disais: tu ne m'auras pas, mon enfant de chienne! Je la regardais dans les yeux et je ne pensais qu'à me battre avec elle, je ne pensais qu'à survivre jusqu'au moment où l'on me soignerait à l'hôpital.

Jamais l'idée de demander l'aide au Bon Dieu ne m'est venue à l'esprit, jamais! J'ai mené ma bataille tout seul, sans béquilles, car le ciel à la fin de tes jours c'est des illusions, c'est des béquilles. Si le Paradis existe, et si c'est si beau et si extraordinaire que cela, le bonheur parfait pour l'éternité, pourquoi alors les hommes ont-ils si peur de mourir? Comme on dit: tout le monde veut aller au ciel, mais personne ne veut mourir. Curieux, cela, n'est-ce pas? La raison, au fond, c'est que les gens veulent vivre éternellement et ne peuvent pas se faire à l'idée que la mort mettra fin à tout. Je crois, moi, que la mort est la fin de tout, que la mort est inévitable, qu'elle vous frappera à l'heure dite et qu'il ne sert à rien de se faire des illusions, de s'accrocher à des béquilles et de se conter des histoires.

Moi, je crois à la nature, et je crois que la nature est un secret ou, si l'on préfère, un grand point d'interrogation que personne n'est parvenu à déchiffrer. Je n'ai pas d'instruction, aucun diplôme, j'ai quitté l'école à la huitième année. Je ne suis donc pas un savant, un intellectuel, mais j'aime la nature et j'aime l'observer tout seul, durant de longues marches, surtout à l'aube quand elle se révèle dans ce qu'elle a de plus beau en attendant le lever du soleil. Je regarde la nature qui vit d'équilibre et d'harmonie, ni trop à droite, ni trop à gauche, la nature qui suit une ligne droite, et je me demande qui a bien pu tracer cette ligne? C'est cela, le grand secret dont je parlais tout à l'heure, un secret que les plus grands savants du monde ont essayé en vain d'expliquer. On me répondra, on m'a en fait répondu que c'était l'Être suprême qui était l'explication de tout... Peut-être... En tout cas, si l'Être suprême existe réellement, il me jugera tel que je suis à mon arrivée en haut. C'est à prendre ou à laisser, peu importe, je n'ai rien à me reprocher.

En attendant, je ne l'ai pas supplié de me venir en aide alors que je perdais tout mon sang et que l'ambulance me transportait à l'hôpital de De Moines, Iowa. Une fois rendu là, j'ai attendu je ne sais plus combien de temps dans un couloir. Puis ils ont décidé de m'envoyer à un deuxième hôpital, le plus gros hôpital universitaire des États-Unis, le Iowa City Hospital, une bâtisse immense, où travaillent quinze ou vingt mille personnes.

C'est là que j'ai subi huit opérations. C'est là où j'ai le plus souffert de toute ma vie. Et c'est là encore que je suis mort. Je m'explique.

À ma troisième opération, ils ont décidé de me geler en me piquant dans le bas de la colonne vertébrale. Épouvantable! Je n'ai jamais autant souffert de ma vie. Ils appellent cela une rachidienne, c'est sensé rendre tout votre corps insensible, mais c'est la chaise électrique qu'ils devraient appeler cette méthode d'anesthésie! Un vrai martyre. C'est comme si une décharge de 10 000 volts vous secouait le corps et qu'on vous frappait la tête avec une masse. Ils manquaient leur coup et ils recommençaient ailleurs, et recommençaient encore. Finalement, ils m'ont endormi avec une piqûre ordinaire dans la main, et les opérations se sont succédées.

C'est pendant l'une de ces opérations que je suis mort. Je n'exagère pas, je me croyais réellement mort sur la table d'opération, et c'était une sensation absolument terrible. C'était mille fois pire que j'avais pu l'imaginer, la mort, horrible, c'était tout simplement horrible à l'extrême. Jamais je ne parviendrai à oublier cette sensation-là. J'étais donc surpris et si heureux de me réveiller dans ma chambre. Je ne parvenais pas à croire que j'étais toujours vivant.

CHAPITRE 2

La convalescence

Ma mère avait coutume de nous conseiller, nous les enfants, de ne jamais répondre à personne que ça n'allait pas bien. «80 % des gens s'en fichent, disait-elle, et les autres 20 % vous souhaitent du mal de toute façon.»

C'est donc avec méfiance que j'aborde le chapitre de ma convalescence. Une convalescence, on pourrait dire, est une longue traversée du désert. Toujours il y a ces dunes sans fin qui s'enfoncent dans l'horizon, et parfois, certains jours qu'on a moins mal, le mirage d'une guérison qui disparaît. C'est en dent de scie. Il y a des jours *high* où l'on se dit qu'on sera remis sur pied rapidement, une question de semaines. Puis l'infection se met dans vos plaies, la tige d'acier qu'on a fixée sur votre tibia vous fait souffrir plus que de coutume, et ces nuits intolérables d'insomnie où l'on se tourne et se retourne en vain pour trouver une position endurable. Alors la guérison n'est plus cette lueur qu'on voyait au bout du tunnel et le découragement se met de la partie. À quoi bon ces bains tourbillon, toute cette physiothérapie pénible? Interminables journées sans soleil! Tout se déroule au ralenti. Les minutes deviennent des heures, les heures se traînent en éternité. Ces jours-là, il faut s'accrocher à la moindre chose, graffigner le mur pour ne pas sombrer. Pour un grand malade, pour un amputé tout particulièrement, ce sont les nuits qui sont les plus dures à endurer. Ah! oui, un empire pour une seule heure de sommeil complet. L'oubli, le refuge du sommeil... C'est malade, seulement, qu'on apprécie ce don merveilleux qui a été donné aux hommes de passer une bonne nuit de sommeil.

Les nuits d'insomnie, on voit le monde tout croche, c'est du moins ce que j'ai ressenti. Le moindre petit problème devient une montagne insurmontable. Et l'on se met à en vouloir aux autres qui dorment dur pendant que vous changez de position à chaque moment, parfois *boutte* pour *boutte*.

Je pensais alors à l'expression si vraie: broyer du noir. C'est ça, en toutes lettres, exactement. Je pensais aussi à l'homme responsable de mon état, le chauffeur de la voiture qui m'a frappé et fracassé les jambes. Ma femme Kathie l'a vu, elle, cet homme. Elle voulait en avoir le coeur net et elle avait frappé chez lui, à sa porte. Elle l'a trouvé dans sa cour, en train de ramasser des cannettes de bière et de liqueur douce, qu'il revendait pour gagner sa vie. Il a dit à ma femme: «Je n'ai rien à vous dire, parlez à mon avocat.». Un pauvre type, d'après ce que ma femme m'en a dit. Assez fin pour allumer un feu, mais trop fou pour éteindre l'incendie. Un pauvre type, je le répète. Curieux, je ne suis jamais parvenu à lui en vouloir. Il faut dire aussi que je n'ai jamais été rancunier. La rancune, le ressentiment, la haine surtout, non, pas pour moi. C'est un poison qui vous ronge et vous mine. Je préfère, j'ai toujours préféré, regarder en avant de moi et voir le côté ensoleillé des choses.

Oui, c'est vrai que c'est plus difficile à faire quand la douleur vous tient éveillé une bonne partie de la nuit, et que vous attendez l'aurore comme une délivrance. À chaque jour suffit sa peine, qu'on dit. Et c'est vrai que vous vous sentez mieux quand le soleil se lève et chasse les noirceurs de la nuit. Le temps, malgré tout, passe plus vite le jour. Il y a des choses à faire, se laver, prendre son déjeuner, faire sa physiothérapie, et parler aux amis qui vous rendent visite. C'est justement à cause des amis que j'ai préféré faire ma convalescence au Québec, parmi les miens. Même si on m'entourait de soins affectueux à l'hôpital américain, et les infirmières ont pleuré quand je suis parti, j'avais le mal du pays, il me fallait coûte que coûte revenir au Québec. Du fond du coeur je remercie Marcel Masse, Paul Labbé (monsieur Bingo), Michel Jasmin, Michel Longtin et le président de Pétro-Canada de m'avoir facilité le voyage du retour. Je remercie aussi tous ces gens qui m'ont accueilli à l'aéroport de Montréal. J'étais vraiment ému de voir que tant de monde s'intéressait à moi. Et comment pourrais-je exprimer ma gratitude à ces milliers et ces milliers de gens qui m'ont écrit pour me souhaiter un prompt rétablissement?

Certaines de ces lettres provenaient de personnes infiniment plus malades que moi, des incurables, des invalides, des enfants cloués à leur lit ou à leur chaise roulante pour le restant de leur vie. C'est la raison pour laquelle vous ne m'entendrez jamais parler de courage à mon propre sujet, jamais au grand jamais. Je serais alors un imposteur de la plus basse espèce. Ces condamnés à perpétuité, eux ont du courage, de l'héroïsme même, pour lequel ils ne recevront jamais de médaille. Les jours où il m'arrivais de me décourager, je regardais tous ces enfants à Marie-Bruneau dans leur chaise roulante ou à plat ventre sur une civière. Ils me regardaient avec de grands yeux, ils me souriaient, tellement contents lorsque je leur adressais la parole ou que je leur faisais une taquinerie. J'aurais eu honte de me plaindre après cela.

Oui, mille fois oui, à quelque chose malheur est bon. La maladie, les infirmités, les longs séjours à l'hôpital vous forcent à faire le point de votre vie en même temps que votre acte de conscience. Inutile de se conter des histoires. J'ai cinquante-huit ans, j'ai donc vécu plus de temps qu'il ne m'en reste à vivre. De là vient l'importance que je prête désormais à mon passé, mon enfance et mon adolescence tout particulièrement. Au total, malgré bien des difficultés et des peines, j'ai eu une sacrée bonne vie. Laissez-moi vous la raconter.

CHAPITRE 3

L'enfance à Ville Émard

Comme la plupart de mes frères et soeurs, j'ai vu le jour sur la table de cuisine familiale, à Ville Émard, le 1er septembre 1929. Je suis le deuxième d'une famille de treize enfants, sept frères et cinq soeurs. Ce nombre, qui horrifie beaucoup de gens aujourd'hui, faisait notre bonheur. Je l'ai déjà dit: chaque nouveau bébé était attendu avec joie, et nous avions tous hâte de voir notre nouveau petit frère ou notre nouvelle petite soeur, que nous carressions et embrassions à tour de rôle. Même Mickey, notre chien, un colley, branlait joyeusement la queue en reniflant le nouveau bébé. En tout cas, si les Québécois sont aujourd'hui menacés de devenir même une minorité au Québec en raison de notre taux de natalité, ce sera pas la faute des Vachon. Ma mère et mon père ont fait leur part.

Tous les quinze, avec maman et papa, nous vivions au deuxième étage d'un duplex, situé au 6873 rue Jogues. Dans ce temps-là, le loyer était de quinze piastres par mois, nous avions une chambre, un salon double et une cuisine. Imaginez notre gang dans cette espace-là! Mes parents dormaient dans une pièce du salon, les filles dans l'autre, Nous, les garçons, nous couchions tous dans la même chambre, sur des paillasses, dont nous achetions la paille par galettes, que l'on payait quinze cents chez un dénommé Desautels.

Vous auriez bien tort de vous apitoyer sur notre sort. Nous n'étions pas riches, bien sûr. Mon père Ferdinand, qui gagnait soixante-quinze piastres par quinze jours à la police de Montréal où il était sergent-détective, ne suffisait pas à payer les factures du laitier et de l'épicier-boucher, qui nous faisaient crédit. Je me souviens des discussions de ma mère avec monsieur Legault, le laitier. Elle lui disait que sa facture était rendue trop haut – 35,40 $, ou quelque chose de même – et qu'elle se passerait de lait pendant une couple de semaines pour descendre la facture. Monsieur Legault lui répondait: «Voyons madame Vachon, vous n'êtes pas sérieuse, ne pas donner du lait à tous ces enfants qui grandissent, et qui en ont besoin pour leurs os et leur bonne santé!» Ma mère arrêtait le lait pour deux ou trois jours, puis elle en reprenait par la force des choses.

C'était le même scénario entre mon père et l'épicier ou le boucher. Mais de grippe et de gratte mes parents finissaient par joindre les deux bouts. Ce qui est certain, c'est que nous avons toujours mangé à notre faim, et personne à la maison aurait osé se plaindre, car c'était en pleine dépression dans ce temps-là et beaucoup de familles à Ville Émard survivaient sur le «secours direct». Nous nous considérions même chanceux d'avoir un père qui avait une job *steady* à la police de Montréal, alors que tant d'autres familles vivaient dans la misère.

Ville Émard, dans ce temps-là, on parle du début des années 20, était moitié campagne, moitié ville. Il n'y avait que des maisons par-ci par-là, les trottoirs étaient en bois, et les rues éclairées par des gros globes suspendus au-dessus de la rue et maintenus par des fils rattachés aux poteaux du téléphone. Devrais-je vous avouer qu'il nous est arrivé, mes frères et moi, de couper ces câbles et de nous tordre de rire quand les globes de verre se fracassaient dans la rue? Des vrais *gripettes*, nous étions, la gang à Vachon...

À une minute de chez nous se trouvait le *champ des fous*, qui s'appelait ainsi parce que c'était le terrain de l'hôpital psychiatrique de Verdun, et que les fous y faisaient les foins l'été. Il y avait même des vaches dans ce champ, exactement comme à la campagne. Tout près encore de chez nous se trouvait un boisé qui allait devenir le parc Angrignon. Le champ des fous et le boisé étaient nos terrains de jeux préférés, le champ surtout en hiver et au printemps, le boisé en automne et en hiver.

Ce qu'on a pu avoir du *fun* aux deux endroits! Nous jouions à Tarzan dans le boisé, un Tarzan style Robinson Crusoé. C'était notre jungle à nous autres tout seuls, et malheur à ceux, les Anglais en particulier, qui osaient s'y aventurer. Nous connaissions ce bois comme le fond de notre mouchoir, chaque sentier, chaque labyrinthe sous le feuillage des arbres et des arbustes. Nous nous étions construit un point d'observation au sommet d'un grand arbre, et nous pouvions de la sorte surveiller les manoeuvres des *blokes*, nos ennemis.

Il nous arrivait parfois d'en capturer. Notre plaisir, alors, était de les abandonner, et bien à l'abri de leur vue, de les voir se perdre dans notre jungle pour en sortir. Des fois, des parents des enfants *blokes* que nous avions capturés venaient à notre recherche, et ils passaient souvent à quelques pieds de nous sans nous voir. Ce qu'on pouvait avoir du *fun*.

D'autres fois, les choses ne se passaient pas aussi bien. Un jour, un Anglais avait donné une claque à mon petit frère Régis, qui était doux et sans malice, et qui était rentré chez nous en pleurant. Moi, je cherche le coupable, je le poigne par la gorge et je lui donne quelques bonnes claques. Le voilà qui saigne du nez et court chez lui en braillant. Il revient avec son père, qui est enragé. Moi, ne l'oubliez pas, je n'ai que treize ans dans le temps. Beding! bedang! je me poigne avec le bonhomme, et pif! et paf! dans la *yeule*, je l'étampe. Je n'ai jamais eu peur de rien, ni de personne. Ça été au tour du bonhomme de manger sa volée.

Mon père, lui, ne trouvait pas ça très drôle, du moins en apparence. «Qu'est-ce que je vais faire avec toi?», qu'il me disait. Je lui répondais: «Son fils, au bonhomme, il n'avait qu'à pas faire mal à Régis, c'est lui qui a commencé.»

Il faut dire que je me battais souvent à la sortie de l'école et que je revenais chez nous la chemise toute déchirée et souvent le nez en sang. Ma mère, ma pauvre mère branlait la tête et me regardait d'un air découragé. Je dois m'en confesser aujourd'hui: j'aurais pu faire damner un saint, avec tous mes tours pendables. Parlant de pendaison, je dois vous conter ici la fois que j'ai pendu mon frère Marcel, le plus vieux de la famille. Lui, mon autre frère Guy et moi jouions aux cowboys. Guy et moi

23

étions les bons shérifs, Marcel était le méchant bandit dont la tête était à prix, comme dans les *p'tites vues*.

Il y a chasse à l'homme dans le boisé, dont je parlais tout à l'heure. Guy et moi, les shérifs, nous finissons par capturer le méchant bandit. On l'attache avec notre lasso, et on le ramène, prisonnier, dans le hangar derrière chez nous. Là, on lui passe une corde autour du cou et on le pend à un soliveau. C'est drôle, en premier. Puis Marcel devient bleuette, et je cours vite à la cuisine pour en revenir avec un couteau à pain et couper la corde. Juste à temps. Je vous laisse deviner la réaction de ma mère, qui s'en arrachait les cheveux.

CHAPITRE 4

Témoignage de
Madame Marguerite Vachon

Il ne fait aucun doute que de tous mes enfants c'est Maurice qui m'a donné le plus de fil à retordre. Mes autres garçons, il leur arrivait d'être tapageurs, mais ils auraient été assez sages si Maurice ne leur avait pas mis des idées de tours pendables dans la tête. Il ne pouvait pas rester tranquille en place. Il avait la bougeotte. Il ne pouvait pas s'endurer à l'école.

Un jour, il commençait sa huitième année, il m'arrive et me dit qu'il a lâché l'école. Il avait quatorze ans. Il avait décidé dans sa petite tête qu'il allait partir de la maison pour découvrir le monde entier. Il ne faisait pas de farce, il est parti. Je ne l'ai pas découvert tout de suite, seulement quand l'un de ses pigeons voyageurs – car il avait une vingtaine de pigeons – est revenu à la maison avec un message de Maurice: «Ne vous inquiétez pas, chère maman, je vais revenir dans trois ans.»

Je pensais devenir folle d'inquiétude. Mon homme, lui, quand il est revenu du travail, il ne s'en faisait pas. «T'inquiète pas, m'a-t-il dit, quand il aura faim, il reviendra aussitôt.» Il avait raison. Il était tout près de minuit quand Maurice a frappé à la porte et m'a demandé s'il pouvait entrer...

Il n'est pas resté tranquille bien longtemps, je vous en donne ma parole. Un coup n'attendait pas l'autre. Mais il était bien trop malin, Maurice, pour faire ses tours quand mon homme Ferdinand était à la maison. Quand mes garçons se battaient un peu trop fort à coups d'oreillers dans leur chambre, mon homme n'avait qu'à taper du pied sur le plancher, et tout le monde s'endormait bien vite, je vous le garantis.

CHAPITRE 5

Papa Ferdinand

Mon père, il était mon adoration. Un bel homme, presque six pieds, et d'une force phénoménale, je n'exagère pas en disant cela. Il avait toujours un bel uniforme de police, et c'est nous autres, les enfants, qui *shinaient* ses boutons dorés avec du Brasso.

Il portait des bottines lacées, comme c'était la mode dans ce temps-là, et un chapeau comme en ont les *bobbies* en Angleterre. C'était un bon vivant qui aimait passer ses soirées avec des amis tout en prenant un verre. Sa force herculéenne était devenue légendaire et les rapaces de la *Main* et du Plateau Mont-Royal l'apprirent à leurs dépens. Fort comme trois Turcs, il savait aussi se montrer humain envers les criminels qu'il poursuivait et capturait. Un jour, un malfaiteur avait pris la fuite tout près des hangars du port de Montréal et s'était engagé dans une ruelle dont mon père savait que c'était une impasse. Mon père avait l'homme en joue tout le temps et aurait pu l'abattre sans difficulté. Il ne le fit pas, laissant le malfaiteur courir jusqu'au fond de l'impasse. Rendu là il jeta son revolver par terre, leva les bras, et se rendit sans opposition à mon père en lui disant: «Merci, monsieur, du fond du coeur. C'est la première fois que la police me traite correctement. Que le Bon Dieu vous bénisse.»

Mon père, je ne le répéterai jamais assez, il était fort *épouvantable*. Une fois, avant d'entrer à la police de Montréal, il travaillait dans une fonderie. Contre le mur, il y avait une roue qui bloquait le chemin. Comme si c'était rien, mon père grippa la roue des deux mains, deux vraies pattes d'ours, et la poussa plus loin. Le surintendant, qui l'avait vu faire, n'en croyait pas ses yeux. Il dit à mon père: «Monsieur Vachon, ça fait quarante ans que je travaille ici avec des hommes forts, et vous êtes le seul qui ait réussi à bouger cette roue!»

Une autre fois, dans une taverne, il se mit à quatre pattes sous une table en acier où s'étaient assis douze hommes, et il les leva sur son dos; fort *épouvantable*, je vous le dis. Combien d'autres exemples que je pourrais vous donner comme cela! Mais ce qui m'impressionnait plus encore que sa force extraordinaire, c'est sa façon de nous traiter et de nous aimer. C'est lui qui m'a donné le sens de la dignité. Il me disait: «Maurice, marche toujours la tête haute et ne rougis jamais devant personne; tu es aussi important que n'importe qui.» C'était un homme sans le moindre préjugé racial. Sur la *Main* et les alentours, qui étaient le *Red Light* dans le temps, il s'était lié d'amitié avec des Polonais, des Allemands, toutes sortes de races, des gars qui étaient descendus des bateaux au port de Montréal. Mon père aimait les entendre décrire leur pays, leurs façons à eux autres de vivre et de penser, puis il nous racontait tout cela, le soir, quand il revenait à la maison. Les Noirs, par exemple, il trouvait cela épouvantable la façon dont ils étaient traités dans le sud des États-Unis.

Je pourrais vous parler de mon père des heures puis des heures encore. Je vais terminer à son sujet en vous racontant l'anecdote suivante. Des fois, mon père m'emmenait avec lui faire sa ronde sur le Plateau Mont-Royal. J'avais trois ou quatre ans. Je portais ma plus belle culotte courte, des bas blancs et des souliers en cuir *patent*. Mon père était tout fier de me présenter aux commerçants qui se trouvaient sur notre chemin. Je vous l'ai dit, sa force était devenue légendaire dans le quartier. Alors les commerçants me prenaient dans leurs bras et me demandaient:

«Quand tu seras grand, seras-tu un *bon homme* comme ton père?»

Un mot d'explication: *bon homme* voulait dire dans leur langage très fort physiquement et moralement, capable de donner une bonne claque et d'en prendre de même. Je leur répondais poliment que j'essaierais, que je ferais de mon mieux. Et c'est ce qui est arrivé: toute ma vie j'ai essayé d'être un *bon homme* comme mon père. Y suis-je parvenu? Ce n'est pas à moi de répondre à cette question...

CHAPITRE 6

Folies de jeunesse

Vers l'âge de quartorze ans, j'étais rendu tannant que ça n'avait plus de bon sens. Ce n'était plus des tours pendables naturels chez un adolescent plein de santé, mais des mauvais coups qui auraient pu me mener loin. Une fois, par exemple, j'avais brisé tous les carreaux des fenêtres d'une école protestante, et un homme, qui m'avait pris, m'avait menacé d'appeler la police.

Un jour arriva que la police s'en mêla pour de bon. J'avais brisé les scellés d'un wagon de marchandises et la police, alertée, m'arrêta sur-le-champ. Je le confesse publiquement aujourd'hui: j'ai passé cinq jours derrière les barreaux, en prison, à Bordeaux exactement. Jamais de toute ma vie je n'oublierai le bruit de la porte de la cellule se refermant derrière moi, jamais! J'avais tellement honte de moi, et parce que mon père était policier, je refusais de donner mon nom.

Cinq jours en prison, la vraie! Mon père avait fini par le découvrir, et je fus traduit en cour. Quelle scène pénible pour moi, et pour mon père. Mon père surtout. Il s'était mis à genoux devant le juge, oui, vraiment à genoux, implorant le juge de me pardonner et de m'accorder la chance de réparer ma faute. J'en ai encore la gorge serrée, rien que d'y penser. Un homme fier comme mon père se mettre à genoux... C'est la plus grande preuve d'amour qu'il m'ait jamais donnée. Je fus libéré, grâce à son intervention et je compris ce jour-là que rien ne serait plus comme avant.

De son côté mon père avait compris qu'il fallait à tout prix canaliser mes énergies, m'occuper à quelque chose, puisque je ne voulais plus aller à l'école. Il pensa à me faire boxer, car il était un amoureux fou de la boxe et il pouvait parler de Gentleman Jim Corbett et de Tommy Bruins des soirées entières. Il m'amène donc à un club sportif de Verdun, et je mis les gants contre un petit gars de mon âge. Paf! Je le pince en partant, et le voilà qui saigne du nez *épouvantable* et qu'il se met à brailler. Ce fut la fin de ma carrière de boxeur.

C'est alors que quelqu'un conseilla à mon père de m'emmener au Y.M.C.A. de Montréal, là où l'on enseignait toutes sortes de sports. Il faut que je dise ici que je n'étais pas bon au hockey, ni au baseball. Le hockey, de plus, ne connaissait pas la popularité d'aujourd'hui. Les Canadiens de Montréal jouaient devant des estrades presque vides. C'est pour cette raison, d'ailleurs, que tu pouvais aller les voir jouer avec une étiquette de *Corn Brand* et 75 cents, dans la section qu'on appelait alors «des millionnaires».

J'en scandaliserai donc plusieurs en disant que Maurice Richard et les joueurs de hockey n'étaient pas les héros de ma jeunesse. Mes héros, à moi, dans ce temps-là, c'étaient Paul Lortie, que mon père m'avait présenté, puis Bobby Managuf, les frères Dusek et, l'idole de mes idoles, Yvon Robert.

J'admirais tellement, Yvon Robert, et les autres lutteurs que je découpais leurs photos dans le journal et en tapissais les murs de notre chambre. Aujourd'hui, on pense que Al Coogan est populaire, mais c'est rien comparé à l'adoration que le monde portait à Yvon Robert. Une vraie religion. On parlait d'Yvon Robert à pleines pages dans *La Presse*, et tout le monde était triste quand il a perdu sa ceinture contre un lutteur du nom de Jumping Joe Salvodi. Je m'en souviens comme si c'était hier: Yvon Robert avait juré qu'il reprendrait sa ceinture de champion dans un match-revanche, et qu'il allait s'entraîner dur au camp Maupas, du nom de l'entraîneur français Émile Maupas. Puis il y avait dans le journal des photos montrant Yvon Robert en train de bûcher du bois ou faisant de la course à pied pour se mettre en forme.

Donc, me voilà au Y.M.C.A. de la rue Drummond en compagnie de mon père et de l'entraîneur en chef, un dénommé Frank Saxon. Saxon était d'origine britannique, et il avait beaucoup lutté là-bas dans les rangs amateurs. Il conseilla donc à mon père de me faire pratiquer la lutte plutôt que la boxe. Il disait aussi: «C'est un sport de santé, bien supérieur à la boxe quant aux bienfaits physiques. Votre fils, monsieur Vachon, a la carrure d'un lutteur. S'il se montre sérieux, s'il s'entraîne vraiment, il ira loin, peut-être même aux Jeux olympiques. Chose certaine, monsieur Vachon, on va lui montrer, nous autres.»

Je n'avais que 14 ans, il ne faut pas l'oublier, et il n'existait pas au Y.M.C.A. de catégorie pour moi. Mais ce Frank Saxon, j'allais le découvrir, avait énormément de prestige et d'influence auprès des autorités, et l'on m'a accepté. J'ai donc commencé à lutter avec des hommes, avec des types qui avaient beaucoup d'expérience. J'étais sans le savoir à la meilleure école. La preuve, c'est que j'ai représenté le Canada aux Jeux olympiques de Londres en 1948. Je n'avais alors que 18 ans, l'un des plus jeunes lutteurs au niveau international.

N'allons pas si vite, et revenons à mes débuts au Y.M.C.A.

CHAPITRE 7

Débuts à la lutte amateur

La salle d'entraînement de la lutte amateur au Y.M.C.A. faisait vraiment pitié. Les murs peinturés étaient craquelés partout. Il y avait deux gros calorifères à l'ancienne mode, sur lesquels on pouvait se faire mal et se blesser. Seulement deux matelas recouverts d'une toile rude comme du papier sablé. Enfin, contre le mur, un long banc de bois étroit.

Nous étions une dizaine de lutteurs à nous entraîner dans cette salle, mal aérée par-dessus le marché. Lorsque j'y suis venu la première fois pour suivre des leçons de lutte, l'entraîneur-chef Frank Saxon m'a dit: «Tu vois le grand maigre là-bas, lutte avec lui.» Je regarde le bonhomme et je ris en dedans de moi. Il mesurait à peu près six pieds deux, il avait presque soixante ans, un paquet d'os. Pour des raisons que je ne savais pas dans ce temps-là, il portait des bas de hockey qui lui allaient jusqu'à la mi-cuisse. Un épouvantail à moineaux, je vous le dis. Et je me disais à moi-même que ça ne prendrait pas de temps à le battre. Ça m'a pris quatre ans, comme je vais vous l'expliquer.

Je ne le savais pas en ce temps-là, mais ce bonhomme nommé Jim Cowley était légendaire dans le monde de la lutte amateur, tant au Canada qu'aux États-Unis, et même en Angleterre, dont il était originaire. On l'avait surnommé le Chief, et j'allais bientôt comprendre pourquoi à mes dépens.

Donc, je m'approche de lui et me présente. Il s'est mis à quatre pattes sur l'un des deux matelas, et il m'a dit d'essayer de le renverser et de lui coller les épaules au tapis. Ce que j'allais faire d'un clin d'oeil, je pensais en moi-même.

Ah!... Ce que j'ai enduré ce jour-là. Le bonhomme Cowley, qui ne pesait que 155 livres, était fort comme dix hommes. Avec ses jambes interminables qui te poignaient en étau, il était comme un vrai boa. Impossible de me libérer de ses prises. Il m'a attaché et noué comme un paquet de chiffons. J'étais même plus capable de bouger. Pendant quatre ans le bonhomme Cowley m'a fait endurer le martyre. Mais quel maître! Il m'a enseigné tous les trucs et toutes les prises du répertoire. En quatre ans, grâce à lui, je suis devenu le champion imbattable du Canada dans ma catégorie. En quatre ans, surtout, il a fait de moi un homme.

Comment vous expliquer clairement ce qu'est la lutte amateur, style libre? C'est premièrement pas du tout comme la lutte professionnelle, le jour et la nuit. Sont interdits les coups d'avant-bras, et bien entendu les coups de poing. Vous n'avez pas le droit non plus de rabattre votre adversaire sur le plancher après l'avoir soulevé, ce qu'on appelle le *body-slam*. Si vous parvenez à soulever votre adversaire, ce qui est plus facile à dire qu'à faire, vous devez le rabattre sur votre genou plié avant de le laisser tomber par terre.

Il n'y a pas de câbles comme dans la lutte professionnelle, c'est important de le souligner.

L'objectif, semblable à celui de la lutte profession-nelle cette fois, c'est de coller les épaules de votre adversaire au tapis pendant trois secondes. Excepté que ça ne se réalise pratiquement jamais entre deux adversaires expérimentés. L'arbitre et les juges éva-luent la performance de l'un et de l'autre et rendent leur décision en faveur de celui-ci plutôt que celui-là. J'ajoute que l'arbitre est l'autorité suprême et que vous serez disqualifié immédiatement si vous lui adressez la parole, contrairement à ce qui se passe dans la lutte professionnelle, est-ce que je dois vous le faire remarquer?

La lutte amateur est sans aucun doute le sport le plus dur à pratiquer. Tous les muscles de votre corps travaillent sans arrêt. Mais c'est surtout votre intelligence qui fait la plus grosse partie de votre travail. Votre intelligence devient comme un ordi-nateur qui doit sans cesse résoudre les questions qui lui sont posées. Posées par l'adversaire qui vous at-taque tantôt aux jambes, tantôt à la tête, tantôt par derrière. Une seconde d'inattention, et vous êtes renversé, battu.

Deux lutteurs expérimentés qui s'affrontent, cela fait penser à deux gros *beux* qui se cognent de la tête et du front. Ça prend une force physique épouvantable pour être champion, pour gagner une médaille dans les compétitions internationales. Ça prend avant tout une condition physique parfaite. On ne peut pas tricher à la lutte. On ne peut pas se paqueter et courir les filles, puis lutter comme du monde le lendemain. Le Chief, mon coach, le bon-homme Jim Cowley, il n'arrêtait pas de me dire: «Maurice, si tu veux gagner à la lutte, il y a deux choses que tu dois absolument faire: courir beaucoup le matin pour te donner de l'haleine, et lutter souvent contre des hommes plus forts et plus expérimentés que toi.»

Jamais je n'ai oublié cette leçon, même quand je suis devenu lutteur professionnel. Ta survie dans la lutte, amateur ou professionnelle, peu importe, elle dépend de ta condition physique. Tu ne peux pas tricher avec ton entraîneur, *foxer* comme à l'école. Sinon tu te tords la cheville, tu te démanches l'épaule, tu te fais briser les reins. Oui, ta survie même en dépend.

Ce n'est pas tout. Il y a aussi l'esprit du combat qu'on t'apprend dans la lutte amateur, un code d'éthique, comme disent les intellectuels aujourd'hui. Le but de la lutte amateur, c'est de gagner sans faire inutilement mal à ton adversaire. On t'enseigne à avoir du respect pour ton adversaire. On t'enseigne aussi à avoir du respect pour toi-même. C'est pour ça que la lutte amateur est une leçon de vie, de savoir-vivre, vous savez ce que je veux dire. Jamais de coups déloyaux. Jamais de coups bas. Dans la lutte amateur, c'est comme ça que tu deviens un homme, mon homme.

CHAPITRE 8

Témoignage de Terry Finn, lutteur amateur au Y.M.C.A.

Je luttais moi-même au Y.M.C.A. et j'étais en outre représentant du Québec de l'*Amateur Wrestling Association* en 1944 quand Maurice Vachon a fait ses débuts dans la lutte amateur.

Maurice pesait alors presque 200 livres, même s'il n'avait que 14 ans. C'était un beau garçon, et il avait alors des cheveux ondulés. C'est le Chief, Jim Cowley, qui a fait de lui un bon lutteur, un vrai champion de calibre international. Le mérite de Maurice, qui n'était pas un excellent technicien de la lutte, c'était son acharnement et à s'entraîner, et à lutter en compétition avec des adversaires plus forts et plus expérimentés que lui. Plus le match était dur, plus Maurice se révélait à son meilleur. Je n'ai jamais vu de toute ma carrière dans la lutte amateur un compétiteur plus animé du désir de vaincre que Maurice. Dur pour son corps à l'entraînement, plus dur encore il était en compétition. Une fois dans l'arène de lutte, il n'avait plus d'amis, plus de camarades. Il semblait entrer en transe, il se surpassait d'une compétition à l'autre.

Maurice luttait dans la catégorie des 174 livres, moi dans celle des 148 livres. C'est ainsi, Dieu soit loué, que je n'ai jamais eu à affronter Maurice. Je n'aurais pas donné grand-chose pour ma peau.

Laissez-moi vous raconter une anecdote qui dépeint bien la sorte de lutteur qu'était Maurice en ce temps-là. Hymie Weisenthal était l'un des meilleurs lutteurs à l'époque, soit en 1948, l'année des olympiques à Londres. Tout un homme, Hymie! Il mesurait six pieds et pesait 230 livres, tout du muscle, pas une livre de graisse. Un jour, donc, Hymie vient au Y.M.C.A. et veut s'entraîner avec un adversaire. Maurice était là. Le combat commence. Paf! paf! Maurice empoigne Hymie et le malmène; il nettoie littéralement le tapis de l'arène avec lui.

Moi, je ne pouvais plus voir cela. Je me suis retiré sur la pointe des pieds et suis allé sous la douche. J'y suis toujours quand Hymie Weisenthal s'amène. Il était plein de sang, râpé sur tout son corps, car le tapis de l'arène, c'est comme du papier sablé. Vous auriez dû lui voir les coudes, les genoux... moi, je ne dis rien. Mais Hymie, lui, il me regarde droit dans les yeux et me dit, avec toute la dignité dont il est capable:

«Je vais vous dire quelque chose, monsieur Finn, votre ami Maurice est un bon lutteur, mais ce n'est pas un gentleman!»

Pauvre Hymie! Je vais vous raconter une autre petite anecdote, si la chose vous intéresse. C'est en 1950. Maurice a gagné sa médaille d'or au Jeux de l'Empire britannique, en Nouvelle-Zélande, et l'équipe canadienne revient au pays sur un bateau, car on n'a pas d'argent pour payer un avion. Toujours est-il qu'un jour une dispute éclate entre Maurice et l'un des boxeurs canadiens. Maurice est furieux et veut s'en prendre au boxeur, mais deux membres de l'équipe canadienne, Burt Ovedon et Henry Hudson interviennent et retiennent Maurice par les bras. Le boxeur en profite pour donner un coup de poing sur le nez de Maurice. Maurice est fou de rage. Un vrai *King Kong*, il traîne et Ovedon et Hudson sur ses épaules pour s'attaquer au boxeur. Un tour de force extraordinaire!

Il faut trois qualités essentielles pour être un bon lutteur de niveau international: être en forme physique parfaite, être rapide, et lutter à l'entraînement contre des adversaires plus forts que vous. Maurice réunissait toutes ces qualités. Il avait en plus une détermination à vaincre comme je n'en ai jamais vue chez un autre de toute ma vie.

CHAPITRE 9

Ma participation aux Jeux olympiques de Londres en 1948

Participer aux Jeux olympiques, y porter les couleurs de son pays, peut-être gagner une médaille, ne serait-elle qu'en bronze, c'est le rêve de tout athlète amateur, en tout cas c'était certainement le mien. J'avais 18 ans lorsque j'ai participé aux Jeux olympiques de Londres en 1948, j'étais, je pense, le plus jeune de tous les lutteurs olympiens en lice. En général, les lutteurs amateurs atteignent leur meilleur entre 25 et 30 ans, parfois plus, ce sont des hommes mûris par l'expérience de centaines de combats dans leur propre pays et dans des compétitions internationales, en Europe surtout où la lutte amateur est une sorte de tradition.

Dans ce temps-là, en 1948, les Turcs représentaient la puissance mondiale par excellence. La preuve: ils ont remporté 5 médailles d'or sur les 8 catégories. 5 médailles d'or, vous vous rendez compte! Comparés aux Turcs, comparés aux lutteurs européens et quelques Américains, nous faisions novices en vinyenne, nous, les Canadiens. C'est pas que le Chief Cowley n'était pas un entraîneur de classe internationale, loin de là, mais comme l'a dit Terry Finn, nous n'avions pas l'argent nécessaire pour participer au tournois internationaux, là où l'on acquiert vraiment de l'expérience à lutter contre toutes sortes d'adversaires. Non seulement nous, du Y.M.C.A., nous ne pouvions pas voyager à l'étranger, il y avait même des années où les championnats canadiens n'avaient pas lieu, faute d'argent. Je ne dis pas cela, comprenez-moi bien, pour nous trouver des excuses, mais seulement pour expliquer notre handicap face aux grands lutteurs internationaux.

Tenez, un exemple. Aux Jeux olympiques de Londres, en 1948, notre *coach* de lutte était un *coach* de boxe. Il s'appelait Dennis White, tout le monde qui a travaillé dans la boxe amateur au Canada se souvient de lui. Moi, en tout cas, je m'en souviens trop. Il gardait la viande pour ses boxeurs, et nous autres, les lutteurs, nous devions nous contenter des restes. C'était tellement injuste qu'un camarade de l'équipe et moi avions protesté. Et savez-vous ce qu'il a eu le front de nous dire, ce Dennis White? «Comptez-vous chanceux d'être ici, et taisez-vous!» J'étais enragé. J'étais humilié surtout qu'il nous parle comme si nous étions des chiens.

Nous logions alors dans des anciens hangars de l'aviation anglaise, en banlieue de Londres, et nous devions prendre le métro pour nous rendre au site des compétitions de lutte.

Le stress de représenter le Canada aux Jeux olympiques, bien sûr que je l'ai ressenti. Tu ne te bats pas seulement pour toi, mais pour tous les Canadiens, c'était du moins mon impression avant mon premier combat. Moi, avant un combat, je ne faisais pas comme tous les autres, des exercices pour me réchauffer, pour faire battre mon coeur plus vite. Je marchais seulement de long en large, tout en essayant de rentrer en moi-même et de n'avoir qu'une seule idée: battre l'adversaire, remporter la victoire.

À mon premier combat, j'avais comme adversaire un nommé King, le champion des Indes. Ma force, à moi, c'était ma rapidité à me jeter aux jambes de mon adversaire, rapide comme l'éclair, et de le terrasser. C'est ce que j'ai fait. Je l'ai alors soulevé du sol et je l'ai rebattu, les épaules au tapis. Tout ça, en 22 secondes. Ça aurait été un record olympique, mais le mouvement avait été tellement rapide que l'arbitre ne s'en était pas aperçu.

Cependant un des juges avait aussitôt levé la main, pour indiquer ma victoire, et l'arbitre ne s'en est rendu compte qu'au bout de 53 secondes. Le lendemain, à Montréal, le journal *La Presse* écrivait que Maurice Vachon avait battu son adversaire aux Jeux olympiques plus vite qu'on peut prononcer le nom de Jackie Robinson.

Mon deuxième combat, c'est certain, est le plus dur que j'aie livré de toute ma vie, tant chez les amateurs que chez les professionnels. J'ai lutté contre le champion de Turquie de sa catégorie, un nommé Kadimir, un adversaire absolument épouvantable. Jamais j'ai forcé comme ça dans ma vie. Je forçais de tout mon corps, jusqu'au bout de mes orteils. Je forçais tellement – et lui aussi – que je n'en voyais plus clair. On lui a finalement accordé la victoire par décision.

Le combat terminé, l'entraîneur des Turcs est venu me serrer la main. «C'est vous qui avez gagné, mon homme a été chanceux de s'en tirer comme ça!» Ça ma fait plaisir, mais ça ne m'a pas consolé d'avoir perdu le combat. J'ai eu cependant une consolation, je n'avais que 18 ans et personne n'avait réussi à me coller les épaules.

CHAPITRE 10

Devenir un *bon homme* comme mon père...

Toute ma jeunesse, je dirai même toute ma vie j'ai été hanté par cette question des marchands du Plateau Mont-Royal:

— «Vas-tu faire un *bon homme* comme ton père?»

Toute ma vie j'aurai été tenté de répondre oui à cette question par mes actes, ma conduite, et tout particulièrement en luttant chez les amateurs d'abord, chez les professionnels ensuite. Il n'est donc pas exagéré de dire que cette question a été le thème de ma vie tout entière, même aujourd'hui que je ne lutte plus et que ma vie s'oriente dans d'autres domaines.

C'est toujours pour être digne de mon père et de sa légende – car c'en était une – que je me suis tant entraîné en vue de représenter un jour le Canada aux Jeux olympiques et dans d'autres compétitions internationales prestigieuses, les Jeux de l'Empire, par exemple, dont je parlerai plus loin.

Il ne faudrait pas croire à la suite des chapitres qui précèdent que je ne faisais rien d'autre que de m'entraîner et de lutter. Je vous l'ai dit, j'ai quitté l'école au début de ma huitième année à l'âge de treize ans et demi. Il n'était pas question que je demeure à rien faire, d'autant moins que nous n'étions pas riches et que mon père ne suffisait pas à faire vivre sa grosse famille. J'ai donc travaillé dans diverses fonctions, et je choisissais volontairement des emplois où je travaillais fort de mes mains de sorte que même mes jobs contribuais à me renforcir et à faire de moi un meilleur lutteur.

C'est ainsi que j'ai travaillé au port de Montréal où je devais soulever des brouettes très lourdes, dans une boucherie en gros où je devais transporter sur mes épaules des quartiers de boeuf. Plus tard, aux alentours de ma vingtaine, j'ai travaillé dans des cabarets de nuit, mais cela est une histoire en soi que je vous raconterai plus loin dans ce livre.

Vous connaissez le dicton anglais: Go west, young man! eh bien je l'ai fait en différentes occasions. La première fois, j'étais encore adolescent, ce fut pour couper le blé dans l'Ouest canadien en compagnie de mon frère Guy. La dernière fois, alors que je ne pouvais lutter assez pour gagner ma vie, j'ai travaillé dans les mines d'or de l'Alberta, tout près de l'Arctique, à une température qui tombait jusqu'à 75° Farenheit sous zéro. Travailler dur, à la sueur de son front, comme on dit, cela ne m'a jamais fait peur, bien au contraire. J'ai toujours aimé trimer dur. Plus mon corps forçait, mieux j'aimais cela.

Je dois vous signaler ici un fait assez important. Je ne mesure que cinq pieds et huit pouces. Physiquement, je n'ai jamais eu la force de mes frères Paul, Régis, et surtout André, qui est le véritable homme fort de la famille. Je dirais même que je suis moins fort, relativement, que mes soeurs

Viviane et Claire. Ça vous surprend, hein! C'est la stricte vérité. Quant à mon père, au point de vue force, je ne suis jamais allé à sa cheville. Comment, alors, expliquer ma réputation d'homme fort?

Il n'y a qu'une seule explication: j'ai toujours eu du chien en moi, du chien enragé, qui m'a permis de compenser. L'acharnement que je mettais à m'entraîner, voilà le secret. J'avais une endurance et un souffle épouvantables. Je pouvais, par exemple, au Y.M.C.A., lutter toute une soirée contre quatre ou cinq adversaires différents. À la lutte professionnelle, et beaucoup vous le diront, je pouvais écoeurer n'importe qui et les battre à l'usure. Dans chacun de mes combats j'allais à fond de train, jusqu'au bout de mes forces. Il m'est arrivé souvent de forcer tellement que je n'en voyais plus clair. C'est ce qui s'est produit dans mon fameux combat contre Killer Kowalski, dont je vous parlerai plus tard. Et c'est ce qui s'est produit lorsque j'ai gagné ma médaille d'or en 1950 aux Jeux de l'Empire qui se tenaient à Oakland, en Nouvelle-Zélande.

CHAPITRE 11

Enfin, une médaille d'or!

L'année 1950, celle des *British Empire Games* qui devaient se disputer à Oakland, en Nouvelle-Zélande, je crois sincèrement que j'avais atteint le summum de mes capacités physiques et mentales. Je l'ai déjà dit, c'est l'intelligence qui prime dans la lutte amateur, la capacité de deviner les manoeuvres de l'adversaire et de le déjouer en prenant l'initiative. Pour que cela soit parfait, il faut que ton corps réponde tout de suite, à l'instant même où l'intelligence envoie ses signaux. Le grand lutteur international n'est donc pas nécessairement le plus fort, mais celui dont le cerveau et les muscles sont les mieux coordonnés. Je n'avais que vingt ans aux Jeux de l'Empire en Nouvelle-Zélande, soit deux ans après les Jeux olympiques de Londres, mais j'avais appris énormément entretemps et je pense, le disant en tout modestie, que j'étais le meilleur lutteur au monde de ma catégorie.

C'est le voyage de Marco Polo que nous avons fait pour nous rendre en Nouvelle-Zélande, ça n'avait pas un *boutte* de bon sens! D'abord, nous sommes partis en train de Montréal, et ça nous a pris cinq jours et quatre nuits pour arriver à Vancouver, où nous sommes demeurés trois jours. De Vancouver, nous avons pris un avion à hélices pour San Francisco, d'où l'on ne pouvait repartir à cause d'une tempête. Donc, un séjour de cinq jours à San Francisco. De là à Hawaï, où nous avons dû encore rester trois jours à cause du mauvais temps. Puis nous avons atteri aux Îles Fiji, et de là nous sommes – enfin! – arrivés à Oakland, en Nouvelle-Zélande. En somme, ça nous a pris 15 jours pour nous rendre en Nouvelle-Zélande en avion. 15 jours! C'est depuis ce temps-là que je comprends l'expression: avoir son voyage!

Toutefois, malgré la fatigue du voyage et du décalage horaire, je me sentais comme un *tiger* à la veille des compétions. La seule ombre au tableau, ça été le départ de mon vieil ami Fernand Payette – j'en reparlerai – qui s'était blessé à l'entraînement et qui a dû revenir au Canada sans avoir livré un seul combat aux Jeux de l'Empire.

Quant à moi, j'ai lutté contre trois adversaires pour gagner la médaille d'or. L'un de ces adversaires, le champion de la Nouvelle-Zélande, donc le grand frère de la place, n'a pas été facile à vaincre. Il était fait en caoutchouc et réussissait toujours à se sortir de mes prises. Tout à côté du tapis de lutte se trouvait une grande table où travaillaient huit ou neuf journalistes. Je ne sais pas ce qui est arrivé, mais voilà que je *pitche* mon adversaire sur la table des journalistes et j'ai tout reviré à l'envers. C'est bien entendu un hasard qu'il ait revolé comme ça, un pur hasard, croyez-moi... Le combat a continué, et deux ou trois fois je suis presque parvenu à lui coller les épaules au tapis. Mais on aurait dit qu'il revirait sur lui-même, impossible de le maintenir en place, de le coller. Je le dis encore, du vrai caoutchouc. Ça ne fait rien, j'ai finalement gagné.

J'étais assuré d'une médaille d'argent quand j'ai affronté, pour la médaille d'or, le champion d'Australie. Je l'ai pris dans une sorte de prise de l'ours, et j'ai serré tellement fort qu'il en parlait encore des années plus tard à mon frère Paul. La médaille d'or! Tous mes rêves s'étaient réalisés, tous mes sacrifices à l'entraînement se trouvaient justifiés.

Lors de la cérémonie de la remise des médailles, je suis là, sur la plus haute marche du podium, je suis au sommet du monde. On ne peut pas avoir idée de ce qu'on ressent, il faut l'avoir vécu. C'est comme si un choc électrique te passait à travers le corps tout entier. Tu as la chair de poule. Il y a un nuage de bonheur qui passe en toi, qui te traverse de bord en bord. Puis c'est comme si un grand vent t'entrait dans le corps par tourbillon, tu te sens porté, élevé, tu n'es plus qu'une plume qui s'élève.

Mais ce sont *The British Empire Games*, ne l'oubliez pas, et le Canada en 1950 est toujours un Dominion, sans hymne national, sans drapeau. Je souligne ces faits car ils sont à la base de mon nationalisme. Bon, ils jouent le *God save the King* et c'est le drapeau de la marine marchande du Canada, avec *l'Union Jack* dans le coin , qui monte au plus haut mat.

Jusque là j'avais les yeux secs, malgré l'émotion qui m'étreignait. Et là, tout à coup, les sanglots me montent dans la gorge, et depuis l'autre *boutte* du monde je pense à mon père, aux marchands du

50

Plateau Mont-Royal, et de l'autre *boutte* du monde je crie en pleurant à mon père:

— «Papa, papa, penses-tu que je suis enfin devenu un *bon homme* comme toi?...»

CHAPITRE 12

Le retour triomphal...

Ah! mon retour triomphal, parlons-en...

D'abord, il y a eu le voyage de retour de la Nouvelle-Zélande. Comme en a témoigné Terry Finn, les autorités de l'équipe canadienne n'avaient plus assez d'argent pour payer le coût d'un avion. Alors nous sommes revenus en bateau, en faisant littéralement le tour du monde. Quatre mois, ça nous a pris, pour revenir à Montréal, en passant par le canal de Suez, Quatre mois! Heureusement que j'avais le pied marin et que je ne souffrais pas du mal de mer, comme certains membre de l'équipe canadienne.

Nous n'avions rien d'autre à faire qu'à nous jouer des tours et nous empiffrer. Je pesais 169 livres à mon arrivée en Nouvelle-Zélande, et 219 à mon retour à Montréal. Disons que nous avons fêté ça un peu...

Comme le bateau approchait de Montréal, je me préparais à un accueil triomphal en raison de ma médaille d'or. J'étais sûr et certain que le port serait noir de monde pour m'applaudir. Nous arrivions, je regarde un peu partout, personne. Je me dis: ils se sont trompés d'heure, de jour, c'est certain. J'aperçois enfin une personne, c'est mon frère Marcel, l'aîné de la famille. Toute une réception! J'étais un peu chagriné, déçu, je l'admets. Je m'attendais à mieux.

Après tous les sacrifices que je m'étais imposés, j'aurais pensé... mais enfin. Pas de regrets inutiles. J'avais réalisé le rêve de ma vie: remporter une médaille d'or! Quand on me demande si je recommencerais tout, l'entraînement sans fin, les sacrifices, je réponds que l'argent ça va dans tes poches, et les médailles ça va dans ton coeur.

Il y a plus encore. Ce sont les sacrifices et la discipline que je me suis imposés qui m'ont permis, plus tard, de traverser toutes sortes d'épreuves. Au fond, la petite déception que j'ai ressentie à mon arrivée à Montréal a été plus que largement compensée quand j'ai vu mon père, sur sa ferme, à Mansonville.

Il m'a d'abord regardé longuement. Puis il m'a pris dans les bras, comme il le faisait lorsque j'étais tout petit. Il m'a serré fort, fort, et d'une main – une vraie patte d'ours – il me tapotait l'épaule, comme s'il cherchait à me consoler d'une grosse peine. Moi, j'étais tellement ému que je ne pouvais pas dire un mot, et je restais là dans ses bras.

Puis il m'a pris par les épaules, m'a regardé longuement, avec des yeux humides. Puis il est parvenu à dire:

«Merci, Maurice, merci ben fort. Je sais que ta médaille d'or, tu l'as gagnée un peu pour moi.»

CHAPITRE 13

Une médaille d'or
ne fait pas vivre son homme

Comme Cassius Clay ou Mohammed Ali allait l'apprendre dix ans plus tard au lendemain des Jeux olympiques de Rome en 1960, l'or d'une médaille pâlit vite et ne fait pas vivre son homme. Aux débuts des années 50, j'avais vingt ans, ce n'était pas comme aujourd'hui alors que de gros commanditaires se servent des médaillistes pour vendre leurs produits à la télévision.

Je devais gagner ma vie à Montréal, d'autant plus que ma famille ne vivait plus à Ville Émard, mais à Mansonville, dans les Cantons de l'Est, où mon père, écoeuré par son travail de policier dans le district du *Red Light* de Montréal, s'était acheté une ferme pour y finir ses jours paisiblement et sans le risque de se faire ouvrir le ventre d'un coup de couteau ou se faire tirer une balle dans la tête.

Curieuses, les circonstances de la vie. Tandis que mon père s'éloignait des troubles de la petite pègre de Montréal, moi j'y entrais tête première en devenant maître d'hôtel dans différents clubs de nuit, en particulier le Beaver qui se trouvait au coin des rues Sainte-Catherine et Bleury.

Le Beaver, très populaire aux débuts des années 50, qui se trouvait au carrefour des deux grands districts du *Montréal by night*, c'est à dire à mi-chemin entre les cabarets de l'ouest, comme le Tit Top, le Paree, et les clubs plus populeux de l'est, à partir de la *Main* et du *Red Light*, soit le Mont parnasse, le Casa Loma, combien autres, et tout à fait à l'est, le célèbre Mocambo, dont l'histoire par elle-même remplirait un livre.

N'oublions jamais qu'il n'y avait pratiquement pas de télévision aux débuts des années 50. La grande distraction des gens, des gens simples surtout, c'était d'aller prendre un coup en compagnie d'amis et de voir un bon show dans les clubs de nuit. Nous vivions toujours, ça aussi il ne faut pas l'oublier, dans les temps où les tramways à trolley, c'est à dire *les p'tits chars* marchaient toujours. Les gens de ce temps-là buvaient surtout des grosses bouteilles de bière, la Black Horse, par exemple, ou de grosse Mol, et ce n'étaient que quelques *fancy* qui commandaient des gin gimlet, des rhum & coca cola et des gin fizz.

J'oubliais de mentionner que le Beaver se trouvait à quelques portes du Gaiety, où il y avait des mautadits de bons shows, dont le strip-tease de Lily St-Cyr qui excita toute une génération de jeunes et de moins jeunes. C'était une sacrée belle femme bien faite, tout comme Lolita de Carlo qui montrait ses cuisses au Mocambo.

Tout près du Beaver, sur la *Main*, il y avait aussi deux *joints*, le Midway et le Crystal Palace. Si vous y entriez avant midi, il ne vous en coûtait que 25 cennes pour voir un show et trois vues. C'est dans ces deux *joints* que se sont fait connaître des comédiens comme Ti-Zoune, La Poune et Olivier

Guimond. Les maîtres de cérémonie les plus célèbres du temps – vous en souvenez-vous? C'étaient Roméo Pérusse et Gaétan Montreuil, qu'on avait surnommé Monsieur 10 000 watts. Il portait toujours des souliers blancs bien *shinés*, qui brillaient dans la lumière des *spotlights*.

Plusieurs noms aujourd'hui célèbres faisaient leurs débuts dans ce temps-là: Jacques Normand, Pierre Roche, Charles Aznavour, les Jérolas, Margot Lefebvre, Alys Robis qui en était à je ne me souviens plus quelle enième retour sur la scène. Au Chez Paree et au Casino Bellevue, vous pouviez voir les plus grands noms du *show business* et du cinéma, Frank Sinatra, par exemple, Liberace, et plusieurs autres. Les clubs marchaient en mautadit dans ce temps-là, les gens attendaient en ligne à la porte, et les *doormen* faisaient pas mal d'argent en laissant passer avant les autres celui-ci plutôt que celui-là. De même que les maîtres d'hôtels, qui pouvaient vous mettre au fond de la salle ou au *ring side*, selon le *tip* que vous lui glissiez au creux de la main.

Les chambres de toilettes, vous vous en souvenez? C'était des petites mines d'or dans ce temps-là. Il y avait là un préposé, souvant un nègre, qui époussettait votre bel habit acheté chez Gold and Son. Il vendait aussi toutes sortes d'affaires, des peignes, du Brylcream, des aspirines, des poupées, et il y en avait dans certains clubs qui vendaient d'autres choses sous la table, des *pep pills*, par exemple. La grosse drogue était inconnue dans le temps.

Je raconte mes souvenirs, et on pourrait dire que c'était le bon temps et que c'est *ben de valeur* que cette époque-là soit passée. C'était le bon temps, en effet, pour les clients qui s'occupaient de leurs affaires et qui ne dérangeaient personne, mais pour ceux qui avaient la job de protéger les bons clients et de voir à ce que tout se passe bien, c'était la jungle, ou l'enfer, à votre choix. Je parle en connaissance de cause.

CHAPITRE 14

Les chercheurs de troubles et les *bouncers*

Je dois dire, pour être honnête, que la plupart de nos clients étaient des gens tranquilles, des gens simples qui venaient se divertir aux clubs, les uns avec un groupe d'amis, les autres tout seuls. Il arrivait bien entendu à certains clients de prendre trop de boisson et de parler fort, mais ce n'est pas avec ces gars-là qu'on avait du trouble, on savait d'expérience comment s'en occuper.

Nos troubles sérieux venaient de deux sortes de gars. D'abord ceux qui se prenaient pour d'autres et qui se croyaient les propriétaires de la place, réclamant la meilleure table au *ring side*, et se mettant à écoeurer tout le monde autour d'eux, clients comme *waiters*. Il fallait les mettre à leur place, et souvent la bataille poignait vite et dur.

Puis il y avaient ceux qui partaient de chez eux et venaient aux clubs avec une seule idée derrière la tête. «Essayer» le *bouncer* de la place, s'attaquer à lui, prouver au monde qu'ils étaient les plus forts, les plus *toughs*.

Moi, je les attirais comme le miel attire les mouches. Je passais pour le meilleur homme dans une bataille de tout le réseau de clubs de nuit. On me considérait l'égal d'un *bouncer* légendaire dans ce temps-là, Fernand Payette, qui était mon ami et que j'avais connu à la lutte amateur. Ça ne veut pas dire qu'il n'y avait pas d'autres bons hommes dans les clubs. Il y en avait de redoutables, des vrais *beux*, comme Tarzan Beaudette et le grands Saint-Pierre, par exemple, au Mocambo. Je reparlerai de ces gars-là.

Mais venant peut-être du fait que j'étais lutteur et que j'avais gagné une médaille d'or aux Jeux de l'Empire, venant aussi du fait que j'avais remis quelques-uns des *boulés* à leur place, j'étais considéré comme le meilleur homme en ville, ou, comme dans les vues: *The fastest gun alive in the west.*

Me provoquer, m'affronter et me planter était donc devenu un défi. Me planter, en public, c'était faire la preuve qu'on était meilleur homme que moi, donc, le meilleur homme en ville, le *fastest gun alive*, comme je disais tout à l'heure.

Ces gars-là, j'avais développé comme un sixième sens, je pouvais les reconnaître dès qu'ils avaient mis un pied dans le club. Ils avaient tous une façon de fumer leur cigare, de regarder le monde et la place comme s'ils en étaient les *boss*, une façon de parler au *doorman* et au maître d'hôtel, de s'installer comme des jars à une table, de commander leur *drink*, oui, une façon qui me faisait dire aussitôt: je vais avoir des troubles avec lui ce soir, il faut que je règle ça vite et que je me surveille à tous les instants.

Autrement dit, il fallait que j'aie des yeux derrière la tête, car les règles du marquis de Queensbury n'existent pas pour ces gars-là. Pour un qui va avoir le courage de t'attaquer en face, il y en a trois qui vont te prendre en sournois, en te frappant la tête par derrière avec une bouteille de bière, par exemple.

Je devais donc surveiller mon homme à chaque instant, toujours le garder à l'oeil, étudier rapidement le terrain où se livrerait la bataille, de façon à ne pas tout casser dans le club et à ne pas blesser les autres clients.

Je n'ai jamais eu peur dans ces moments-là. Jamais suis-je parti de chez moi en pensant que ce soir-là ça serait à mon tour de manger une bonne volée. Ce n'était pas de la bravade de ma part, croyez-moi. C'était simplement comme ça: je me savais capable d'effrayer n'importe qui et de le battre sans grosses difficultés. Appelez cela l'inconscience de la jeunesse, si vous voulez, et vous aurez tout probablement raison. C'était devenu une seconde nature, chez moi. J'étais une machine à bataille, comme je suis devenu plus tard le Mad Dog de la lutte. Une vie de chien dans un monde de fous. C'était bien cela, ma vie dans les clubs de nuit.

CHAPITRE 15

Ma fameuse bataille
avec Fernand Servant

Si vous êtes dans la cinquantaine, vous vous souvenez certainement de Fernand Servant. Il avait boxé un certain temps chez les professionnels, un *tough*, un vrai *tough*, fantasque, vantard, qui n'avait peur de personne.

On le voyait partout dans les clubs de nuit, en compagnie de deux ou trois *chums*. Il aimait *flasher* avec son char de l'année, ses habits pâles. Il faisait peur à tout le monde quand il entrait dans une place et il en profitait pour faire le petit coq du village.

Moi, dans ce temps-là, je travaillais au Beaver. L'un de nos bon clients était un homme de près de soixante ans, un gars bien tranquille. Il travaillait dans un garage pas loin du Beaver et il venait direct de sa job, c'est à dire qu'il avait souvent de la *graisse* sur lui. Le bonhomme était correct, il ne dérangeait personne à sa table. Il buvait une grosse bière et nous donnait 25 cennes de *tip*. On l'aimait bien, au Beaver, et on l'avait en quelque sorte pris sous notre protection.

Un soir, la place est bondée et voilà qu'arrive Fernand Servant avec deux *chums*. Je le reçois aussitôt à la porte et lui dis: «Fernand, le show va finir bientôt, des gens vont partir, je vas t'asseoir là

en attendant de te trouver une place au *ring side*.»
Je l'assois donc à la table du bonhomme. Il lui crie
à la face: «Va-t-en, vieux crotté, vieux sale, fais-toi
rare!»

Je reviens à la table et je dis poliment, mais fer-
mement à Servant: «Fernand, je t'ai dit tout à
l'heure qu'il n'y avait pas de place, et que je t'en
trouverais une meilleure quand le show serait fini.
Ça fait que tu vas arrêter tout de suite de donner de
la marde au bonhomme, qui est un de nos bons
clients, et qui t'achale pas.»

«Qui tu penses que tu es, toi, Vachon?» me ré-
plique Servant, les baguettes en l'air, en vrai fana-
tique, pour impressionner le monde autour de nous.

Je l'enligne, je sais comment ça va se passer. Je
lui réponds dans la face: «C'est ça ce que je pense
que je suis. C'est moi le *boss* icitte!» Et paf! en
même temps, je le frappe direct sur la pointe du
menton. Voilà mon Servant à terre, sur le cul. De
ma main droite je le poigne par derrière le cou, et
de ma gauche – je suis gaucher – je l'étouffe ben
raide.

«Toujours comme ça, je le traîne dans un petit
salon, près du *checkroom*, et je serre encore plus
fort en lui répétant que c'est moi le *boss* icitte, et
qu'il ne fera plus de troubles à mes bons clients. Je
dois finalement le lâcher parce qu'il est en train de
devenir violette. Il n'était plus capable de prendre
son respir. Alors, là, je lui donne une mautadite de
bonne claque sur la *yeule*. Et je lui dis: «Si t'es pas
capable de faire comme du monde, tu resteras chez
vous, la prochaine fois. As-tu compris?»

Servant a vite sacré son camp. Mais je savais, d'instinct, en moi-même, qu'il reviendrait pour un combat-revanche. Surtout que tout le monde parlait de notre bataille dans les clubs et que Servant était humilié.

Ça n'a pas manqué. Quelques soirs plus tard, c'était l'été, j'avais descendu l'escalier du Beaver et je prenais un peu d'air frais à la porte, sur la rue Sainte-Catherine, juste à côté du *United Cigar Store* qui faisait le coin de la rue Sainte-Catherine et de la rue Bleury.

Voilà-t'y pas que mon Fernand Servant retontit avec trois ou quatre de ses *chums*. Dès qu'il m'aperçoit il me dit: «Vachon, j'ai pas aimé ce que tu m'as fait l'autre soir...» Il n'a pas fini sa phrase que je le plante dur sur l'oeil, et qu'il se met à pisser le sang de tous bords, de tous côtés. «Ah! t'as pas aimé ça!», que je lui dis. Je le poigne des deux mains et lui déchire son bel habit, comme ça, en pleine rue. Il essaye de me boxer, je lui en plante un autre si fort qu'il en est devenu les yeux croches.

Pendant ce temps-là, en haut, dans le club, les *waiters* disent à Rusty, un Suédois, qui travaillait avec nous autres, un colosse: «Rusty, la gang à Servant, ils sont en train de bûcher sur Maurice, dans la rue!» Mon Rusty dégringole l'escalier quatre par quatre et se retrouve face à face avec mon Servant. Il le poigne par le collet et le fond de culotte qui lui restait, et là il *pitche* mon Servant sur la *track* des *p'tits chars*. Il a été chanceux. Un tramway passait au même moment et il s'est arrêté à quatre pouces de la tête à Servant. Un peu plus, et il se la faisait couper!

Là, il a bien fallu arrêter le massacre car un gars de la police était arrivé de l'autre bord de la rue Sainte-Catherine et nous aurions pu nous retrouver tous derrière les barreaux.

Ce qui est sûr, c'est que Fernand Servant, n'est jamais revenu chercher du trouble au Beaver.

CHAPITRE 16

Témoignage de Georges Fichaud, ami d'enfance, et lui aussi lutteur amateur et *bouncer* de club de nuit

Maurice et moi, on est des amis d'enfance. Nous avons grandi ensemble à Ville Émard, lui rue Jogues, moi rue Montmagny, nos maisons donnaient l'une sur l'autre en arrière, et c'est comme ça que je suis vite devenu un membre de la «*gang* à Vachon».

Maurice a toujours été farouche. Il était comme un lion dans une cage, qu'on lâche *lousse* un jour. Combatif, rude, il ne lâchait jamais son adversaire, toujours il attaquait et revenait à la charge. J'ai lutté pendant des années avec lui au Y.M.C.A. J'ai même lutté avec lui, une fois, dans un tournoi. J'avais à peine quinze jours d'expérience dans la lutte, lui luttait depuis un peu plus d'un an, et il aurait pu me coller en partant, mais il m'a laissé faire un peu, et m'a finalement collé les épaules au bout environ de deux minutes.

Plus tard, nous avons été *bouncers* de clubs de nuit, lui au Havana, puis au Beaver, moi au Pagoda, rue Notre-Dame, puis au Rodéo, sur la *Main*. Ça fait aujourd'hui 39 ans que je travaille dans des clubs de nuit. J'ai connu les meilleurs travailleurs de rue, des gars comme le grand Maurice Saint-

Pierre, Fernand Payette, Roger Massicotte, mais jamais j'ai vu un meilleur bagarreur que Maurice.

Je vais vous donner un exemple. Dans ce temps-là, je travaillais au Pagoda, Marcel Vachon, le plus vieux de la famille, était un client, et un soir un *bouncer* du nom de Joe, un Italien, a planté Marcel bien dur. Moi, je raconte cela à Maurice le même soir. Il me dit: «Georges, viens me chercher demain, et nous irons ensemble au Pagoda.» Vous auriez dû voir la bataille! J'ai jamais vu un gars en manger une pareille. C'était effrayant de voir Maurice bûcher et bûcher sur le gars qui avait planté son frère Marcel. C'était tellement effrayant que nous avons dû sauter sur Maurice, pour l'arrêter, car il était après tuer le gars.

La plus belle bataille que j'aie vue, et qui a rendu Maurice célèbre, ça s'est passé dans une taverne de la Côte Saint-Paul, contre un gars qui s'appelait Dédé Laflamme.

Dédé Laflamme était un gars emmanché comme c'est pas possible, bien plus grand et bien plus lourd que Maurice. Il avait été *M.P.* dans l'armée, et il avait une réputation d'homme fort qui faisait peur à tout le monde dans le quartier.

Mais Maurice, lui, n'a jamais eu peur de personne, et il fallait pas l'écoeurer trop longtemps. C'est Laflamme qui a tout commencé en barbant Maurice au sujet des lutteurs, des *fakeux*, et d'autres affaires pareilles. La bataille a commencé quand Dédé Laflamme a essayé de barrer le chemin à Maurice, qui revenait à sa table, où il était assis avec son oncle. Et beding! et bedang! Maurice le frappe à tour de bras! Dédé soulève une table de

66

taverne et essaie d'assommer Maurice avec. Maurice repousse la table comme si de rien n'était. Puis il a pris Dédé par les deux pieds, la tête en bas, et lui a flanqué des coups de pied dans la face. Dédé s'en est sorti avec la mâchoire fracturée à deux places. Vous parlez d'une bataille!

Une autre de ses célèbres batailles, dont tout le monde parlait dans le temps, ça été contre des nègres, qui l'avaient attendu à la sortie du Beaver, un soir. C'est là que Maurice a perdu toutes ses dents du bas... Demandez-lui de raconter cette bataille...

CHAPITRE 17

La bagarre en pleine rue Sainte-Catherine

Je me rends compte, aujourd'hui que j'y pense, que je n'ai jamais pris le temps d'évaluer mes adversaires dans mes batailles de clubs de nuit. Il faut dire que ça faisait partie du travail et que je n'y attachais aucune importance. Servant avait été un adversaire bien plus facile que j'aurais pensé. En fait, mes batailles les plus dures ont eu lieu contre des gars qui n'étaient pas connus dans le circuit. Le nègre, par exemple, dont a parlé mon vieil ami Georges Fichaud.

Ça s'est passé au Beaver. Le nègre en question s'était mis à achaler d'autres clients, et après un, deux, avertissements, je l'avais sacré tête première dans l'escalier. Il s'est relevé. Il m'a montré le poing, puis il m'a dit que je ne perdais rien pour attendre, qu'il reviendrait avec sa *gang de chums*.

Je ne me souvenais même plus de lui quand, quelques soirs plus tard, un des *waiters* m'avertit que plusieurs nègres nous défiaient de descendre en bas dans la rue.

Nous étions quatre du *Beaver* à leur faire face, et il y en avait plus que nous autres de leur bord. J'ai reconnu mon gars, qui m'attendait les baguettes en l'air. Moi, je le prends par surprise en lui donnant un coup de pied dans une jambe, et je le ramasse avec un uppercut parfait dans le portrait. Il ne tombe même pas, et me frappe le visage avec sa tête. J'ai senti mes dents craquer, le sang me pissait de la bouche *épouvantable.* Alors je me suis mis sérieusement au travail, d'autant plus que d'autres nègres essayaient de m'immobiliser les bras et de m'entraîner dans la rue, en plein trafic.

Dodo, l'un de mes *chums* du Beaver, était en difficulté. Deux nègres lui frappaient la tête contre la bâtisse du Steinberg qui était là dans le temps, et je dus aller le tirer du trouble en zigzaguant entre les corps des autres combattants.

Puis je suis vite revenu à mon homme, qui m'en donnait autant que je lui en donnais. C'était épouvantable les coups qu'on se donnait, coups de poing, coups de pied, tout le *bataclan.* J'avais beau bûcher dessus, il ne tombait pas, mon nègre, un vrai *tough.* Alentour, les passants se poussaient de peur et certains parlaient d'appeler la police.

Je devais donc en finir. Là, j'ai employé ma vieille tactique de la lutte amateur. J'ai feint de lui porter un coup de poing, et je lui sautai aux jambes. Il tomba raide sur le dos et je le traînai jusqu'à un poteau de fer et lui cognai la tête à plusieurs reprises dessus.

Je ne savais plus ce que je faisais. Je pompais l'adrénaline et je cognais la tête du gars, qui était couvert de sang. Moi, j'avais la chemise complètement arrachée et le sang me pissait toujours de la bouche. Je cognais et je cognais sans arrêt quand deux détectives sortirent de leur voiture et se jetèrent sur moi pour m'arracher du gars. C'étaient des polices qui avaient connu mon père, et qui me reconnaissaient. «Arrête, Maurice, arrête, tu vas le tuer!», ils me criaient tout en m'immobilisant de leur mieux.

Aujourd'hui que j'y pense, j'ai été chanceux que ces deux détectives-là interviennent. Une bataille de rue c'est une bataille de rue, pas de pitié, mais cette bataille-là n'avait plus un mautadit de bon sens.

CHAPITRE 18

D'où vient cette violence en moi?

Pendant des nuits d'insomnie à l'hôpital à la suite de l'amputation d'une partie de ma jambe, je me suis demandé souvent d'où vient cette violence qui s'empare complètement de moi en certaines circonstances.

Je n'ai pas trouvé de réponse complète qui expliquerait tout. Les violents viennent en général des taudis, de la pauvreté, de la misère. Ce n'est pas mon cas. Nous n'étions pas riches, la famille Vachon, je l'ai déjà dit, mais jamais on n'a manqué de rien. Jamais j'ai souffert de désirer vraiment quelque chose qu'il m'était impossible d'obtenir.

Nos jouets d'enfants, nos fusils, par exemple, ou nos arbalètes dont nous nous servions dans notre jungle en jouant à Tarzan ou aux cowboys, nous les fabriquions nous-mêmes, mes frères et moi, et nous en étions heureux. Plus je pense à mon enfance à Ville Émard, plus je trouve que j'ai été chanceux. Chanceux d'avoir une grosse famille unie. Chanceux d'avoir eu un père et une mère qui s'aimaient, et qui nous aimaient. Chanceux de vivre dans un quartier où c'était presque la campagne avec le bois d'Angrignon, le *champ des fous*, et l'aqueduc tout proche où j'allais pêcher, avec mon père, des perchaudes et toutes sortes d'autres poissons. Le printemps, quand la neige fondait, le *champ aux fous* devenait comme un grand lac, et mes frères et mes *chums* et moi nous nous faisions des radeaux avec des bouts de planches et nous voguions sur l'eau. D'autres fois, nous nous faisions deux radeaux, nous nous séparions en équipes et nous nous faisions des guerres en essayant de pousser nos adversaires dans l'eau.

Nous ne vivions pas dans le luxe, ça, c'est certain. Prenez nos habits, par exemple. Il n'était pas question pour mes parents d'aller en acheter des flambant neufs au magasin. Ma mère, et ma tante Marthe, et des fois une modiste qui était payée trois piastres, toutes trois décousaient les uniformes de police que mon père ramenait à la maison, et avec le tissu, elles nous refaisaient de beaux habits dont nous étions fiers.

Un autre exemple: les gâteaux. Ma mère nous donnait trente-cinq cennes, et avec ça nous allions dans le bas de la ville, chez un pâtissier qui nous vendait des gâteaux et des muffins de la veille. Avec nos trente-cinq cennes, nous en avions plein un oreiller, et nous étions bien contents.

J'ai aussi eu la chance de vivre dans le temps où presque tout se faisait avec des chevaux, le laitier, l'homme du pain, le vendeur d'épices, le *guenillou* qui passait en criant et après qui on courait. Mon père, des dimanches, m'emmenait au poste des pompiers, où se trouvaient de gros chevaux, que je caressais. C'est aussi chez les pompiers que nous prenions du bon fumier de cheval pour engraisser la terre de notre jardin.

Je pourrais passer des heures et des heures à vous conter mon enfance, et dire comment mes frères et moi puis mes *chums* on s'amusait en vinyenne. Non, ce n'est pas dans cette enfance-là que les psychologues ou les psychiatres trouveraient de quoi pour expliquer le fait que j'aimais mieux me battre que manger.

Comment expliquer cela, alors?

Même s'il était doué d'une force herculéenne, mon père ne se battait pas plus que nécessaire, et, au fond, c'était un doux, un peu comme mon frère Paul, ou mon frère Régis, qui sont bâtis comme des armoires à glace et qui sont forts *épouvantable*, en fait bien plus forts que moi. Du côté de ma mère, les Picard, il n'y avait pas de violents non plus. Mon plaisir à me battre n'est donc pas héréditaire, ce n'est pas là non plus qu'il faut chercher.

Mais où? Une chose qui me frappe, maintenant que je cherche, c'est que je n'ai jamais pu endurer de voir un gros abuser de sa force contre un petit, ou quatre ou cinq gars qui s'attaquaient à un seul. C'est plus fort que moi, je dois sauter dans le tas et défendre le gars qui est seul. Je ne pourrais pas endurer, par exemple, de voir une femme se faire violer dans une ruelle par une gang de gars. Il faudrait que j'aille à son secours, même si les gars sont nombreux et armés. Ça serait plus fort que moi.

Là-dedans je ressemble à mon père. Laissez-moi vous conter cette histoire à son sujet. Mon père, écoeuré de son travail de police dans le *Red Light* et sur la *Main*, avait un jour décidé de s'acheter une ferme et d'y finir ses jours dans l'air pur et dans la paix. Ce jour-là, il était venu à Mansonville, dans les Cantons de l'Est, pour voir une terre, qu'il a en fait achetée.

En arrivant au village, il voit quatre gars en battre un. Ce dernier mange une vinyenne de mautadite de volée! Le gars est à terre, il ne bouge plus, il est sans connaissance, et le chef de la gang crie à tue-tête: «Y en a-t'y un qui veut s'essayer?» — «Moi», répond mon père, qui fonce dans le paquet, et pif! et paf! les quatre gars revolent de tous les bords, assommés raide.

Le propriétaire de la taverne, qui avait tout vu, a invité mon père et lui a donné une grosse bouteille de bière. «Tenez, c'est pour vous, pour vous remercier. Ça fait des années que ces quatre gars-là terrorisent tout le monde. Ils vont peut-être maintenant nous laisser tranquilles!»

J'ai hérité cela de lui, appelons ça le sens de l'injustice. Combien de fois des pauvres gars m'ont dit: «T'es chanceux, Maurice, d'être si fort. Nous autres aussi on aimerait bien remettre certains gars à leur place, mais on peut pas, on n'est pas assez forts.»

C'est comme la fois que le *bouncer* du Pagoda avait planté mon frère Marcel. Il fallait que je le venge. Je n'aurais pas pu vivre avec moi-même si je ne l'avais pas fait. Je le répète: c'est plus fort que moi. Même si mon intelligence me dit que les gars sont trop nombreux et trop dangereux, il faut que je leur défonce le portrait. Rien à faire pour me calmer, pour me retenir.

Je dois avouer aussi en toute franchise que j'aime cela, me battre, que je me priverais de manger plutôt que d'arrêter de me battre. Je suis une

74

machine à bataille, depuis que je suis enfant. C'est cela qui m'a aidé à me faire un nom, plus tard, dans la lutte professionnelle, où c'est pas facile de percer et de se battre dans les finales qui rapportent de la grosse argent.

De plus, je ne le répéterai jamais assez, je n'ai jamais commencé une bataille, mais je les ai toutes finies, ça c'est bien certain. C'est curieux, ce qui se passait en moi quand je commençais à me battre dans un club, ou que je commençais de lutter dans l'arène. J'ai comme une explosion intérieure, l'adrénaline me remplit les veines, et ça va en crescendo: plus c'est dur, plus l'adversaire est *tough*, plus j'ai envie de me battre. Un chien enragé, oui, un *Mad Dog*, c'est bien la meilleure comparaison que je peux faire pour vous décrire ce que je deviens dans la chaleur de l'action. Une fois que la machine à bataille est lancée, plus moyen de l'arrêter. Il faut que j'aille jusqu'au bout, je ne suis plus maître de moi.

CHAPITRE 19

J'aurais pu devenir un criminel

Je vous ai dit le grand principe de ma vie, inspiré des paroles et des actes de mon père: toujours suivre la ligne droite, ne jamais se laisser déraper trop à gauche, trop loin à droite, car on risque alors de capoter dans le fossé.

Un principe, c'est comme l'idéal d'une vie: on se force pour le respecter et le vivre un peu chaque jour pour l'atteindre. Mais ça ne veut pas dire, loin de là, qu'on n'a pas des défaillances plus ou moins longues, plus ou moins conscientes.

Ce fut mon cas dans les clubs de nuit. Règle générale, je le répète, c'est pas du mauvais monde qui les fréquente. Les gens viennent dans les clubs de nuit pour se divertir en compagnie de *chums*, ou avec leur blonde pour lui faire plaisir. Il y a aussi beaucoup de clients qui viennent seuls, qui arrivent seuls et qui repartent seuls. Comme mon vieux bonhomme, au Beaver, qui travaillait dans un garage, et qui venait moins pour voir le show que pour boire sa grosse bouteille de bière.

J'ai toujours été intrigué par ces solitaires, qui restent à leur table bien tranquilles sans jamais dire un mot à personne, jamais. Il y en a qui regardent le show, mais on devine à leur regard qu'ils ne le voient même pas et qu'ils pensent à autre chose.

Un homme seul qui passe sa soirée dans un club, je ne trouvais pas ça normal. N'ont-ils pas de femmes? Une blonde? Des amis, des camarades de travail au bureau ou à l'usine? Souvent j'essayais de leur parler, pour découvrir qui ils étaient et pourquoi ils venaient ici. Je me suis fait retourner de bord plusieurs fois, et certains n'avaient qu'à me regarder d'une certaine manière pour que je décampe. D'autres, au contraire, étaient très contents de trouver quelqu'un à qui parler. C'étaient la plupart du temps des timides, des gars de la campagne qui n'arrivaient pas à se faire une vie normale en ville. Ils s'ennuyaient de chez eux, beaucoup, des fermes qu'ils avaient abandonnées pour venir se trouver un job à Montréal.

D'autres, nombreux, étaient des gars malheureux en mariage. Ils ne m'en parlaient pas à coeur ouvert, mais je le devinais à certaines de leurs paroles. J'en ai connu, comme ça, quand je travaillais au Havana, rue Frontenac. Tout d'un coup, comme ça, ils se mettaient la tête entre les bras sur la table et pleuraient à gros sanglots, je voyais leurs épaules et leur cou tressauter. Je ne les dérangeais pas, même si ça gênait les gars aux tables voisines. Ou bien, des fois, j'apportais un *drink* gratis au gars malheureux, et je lui disais: «Mon homme, ça va passer!»

J'en suis venu à cette conclusion: il y a un gros pourcentage de gens qui viennent dans les clubs parce qu'ils s'ennuient, parce qu'ils ont les bleus. C'était le cas de la plupart des immigrants qui étaient chambreurs aux alentours de la *Main*. Des gars qui étaient descendus du bateau, pour rester ici, des *Polacks*, des Allemands, toutes sortes de races. Ça ne doit pas être drôle de vivre en chambre, quand on est loin de son pays, qu'on est tout seul, qu'on ne peut même pas parler le français ou l'anglais. J'en ai connu plusieurs, comme ça, dans les clubs.

Hélas, j'allais le dire au début de ce chapitre, ce n'est pas toujours du bon monde qu'on côtoie dans les clubs, même s'ils sont une minorité. J'appelle cela la rapace de la société, des *pimps*, des voleurs, des gars de bras de la petite pègre, des *combineux* au bord de l'illégalité. Le problème, le danger, c'est qu'ils n'ont pas ça écrit sur le front, et qu'ils ne sont pas antipathiques. C'est facile de devenir *chum* avec eux et, de fil en aiguille, se laisser prendre à leur jeu.

C'est d'autant plus facile de quitter la ligne droite que la vie de club de nuit est artificielle, comme un gaz qui tranquillement t'empoisonne, te fausse le jugement. À force de voir des gars *flasher* des gros *bills* de cent dollars, t'en viens à croire que l'argent est facile à gagner si t'es pas trop scrupuleux. T'en viens à penser: pourquoi pas moi? Et c'est comme ça que tu glisses, tranquillement, tu ne t'en rends même pas compte.

Je l'ai écrit en tête de ce chapitre: il n'aurait pas fallu grand chose pour que je devienne un criminel. Ce qui m'a sauvé, c'est l'exemple de mon père, à qui je ne voulais pas faire de la peine, et ensuite à cause d'une conversation que j'ai eue un jour avec un ami, au restaurant Gerocima, vous vous rappelez, ce restaurant qui faisait le coin de la rue Sainte-Catherine et de la rue Saint-Denis.

L'ami en question se nommait Armand Courville. Il m'a dit: «Maurice, je sais que tu es un bon garçon et que tu as eu la chance d'être élevé par une mère et un père admirables. Ce que je veux te dire aujourd'hui – et tu pourras me dire de me mêler de mes affaires, si tu veux – ce que je voulais te dire, c'est qu'il est grand temps, et ça presse, que tu quittes les clubs de nuit!

«Ce n'est pas une vie, ça. C'est un milieu pourri, sale, où tu ne peux que te salir à la longue, c'est inévitable. De plus, tes bagarres avec les tout-croches du milieu, ça n'a plus un sacré bon sens. Un soir, ça sera ton tour de te faire estropier, pour le restant de tes jours, ou te faire tuer, Maurice, avec tous les fous à enfermer que tu côtoies.

«Écoute-moi bien, Maurice, je te parle comme te parlerait ton père dans les mêmes circonstances. Tu es allé aux Jeux olympiques, tu as gagné une médaille d'or à la lutte aux Jeux de l'Empire, lâche les clubs de nuit et va faire de la lutte professionnelle. Tu gagneras moins d'argent, au début, mais tu finiras par bien gagner ta vie, tu en as le talent.

«Ce qui est certain, Maurice, c'est que tu vivras plus longtemps.»

J'ai aussitôt compris le message, pas besoin là non plus d'un dictionnaire pour comprendre. À Armand Courville, je serai reconnaissant toute ma vie.

CHAPITRE 20

Mes débuts dans la lutte professionnelle

Dans ce temps-là, c'était le promoteur Eddie Quinn qui était le Grand manitou de la lutte professionnelle à Montréal. Il y aurait tout un livre à écrire sur Eddie Quinn, un Irlandais catholique de Boston, où il *chauffait* un taxi pour gagner sa vie. Je ne sais trop comment, mais Eddie Quinn s'était fait *chum* avec le Grand manitou de la lutte professionnelle, non seulement à Boston, mais dans plusieurs petites villes de la Nouvelle-Angleterre. C'est comme ça que Eddie Quinn a commencé dans la promotion de lutte professionnelle.

Un jour, Paul Bowser dit à Eddie Quinn d'aller faire de la lutte professionnelle à Montréal. Eddie Quinn s'est loué un bureau au Forum, et ça a été le commencement d'une grosse carrière dans la promotion de lutte, sauf que Eddie Quinn ne l'a pas fait pour Paul Bowser, mais pour lui-même.

En d'autres mots, c'est Eddie Quinn que je devais aller voir si je voulais faire mes débuts dans la lutte professionnelle. Imaginez ma joie: il m'a donné un combat contre Al Tucker, qui faisait le premier combat de la soirée, et qu'il perdait toujours. J'ai gagné sans difficultés. Eddie Quinn m'a donné $ 200 piastres. Tabarnouche, 200 piastres! Je pensais que c'était la fin du monde, je pensais qu'il m'avait donné la banque au complet. C'était de la belle grosse argent dans ce temps-là. Je volais sur des nuages.

Mais les nuages ont crevé et je me suis retrouvé le cul par terre. J'ai dû attendre six mois pour obtenir un autre combat au Forum, et mes 200 piastres avaient fondu, vous pensez. Pour gagner ma vie, j'allais lutter dans des petites places comme Saint-Jean-Chrysostome, ou à Montréal-Nord dans un petit stade en plein air. Quand on était chanceux et qu'il ne mouillait pas, on avait de 10 à 30 piastres au grand maximum. C'était évidemment pas assez pour vivre.

C'était seulement à lutter régulièrement au Forum que j'aurais pu vivre de la lutte, mais on ne m'accordait plus de combat au Forum. Pour dire les choses telles qu'elles étaient, j'étais maintenant barré au Forum. Voyons les faits. La grosse vedette dans ce temps-là au Forum, celui qui attirait les foules, celui que la foule adorait comme un Dieu, c'était Yvon Robert. J'ai longtemps pensé que c'était Yvon Robert qui me faisait barrer au Forum en passant par Eddie Quinn. J'en voulais beaucoup à Yvon Robert, et je lui en voulais d'autant plus qu'il était le héros de ma jeunesse.

Ça m'a pris des années à comprendre que ce n'était pas Yvon Robert qui me barrait, mais le promoteur Eddie Quinn. Pourquoi? La raison était bien simple, quand on se donnait la peine d'y penser. Yvon Robert était la clé du succès de toute la lutte au Forum, il était la poule aux oeufs d'or d'Eddie Quinn. Mettez-vous maintenant à la place d'Eddie Quinn: pourquoi autait-il laissé un autre Canadien français, c'est-à-dire moi, prendre la vedette à Montréal et peut-être faire du tort à la réputation de Yvon Robert? C'était simple comme deux + deux font quatre. Il y avait Yvon Robert, la grande vedette, il y avait un débutant qui s'appelait Maurice Vachon. C'était clair, il n'y avait pas de place pour moi au Forum dans l'empire d'Eddie Quinn. Je l'ai compris bien plus tard. Et j'ai cessé d'en vouloir à Yvon Robert, car ce n'était pas sa faute à lui si les choses se passaient comme ça.

Autrement dit, je devais m'exiler de ma ville, Montréal, si je voulais gagner ma vie dans la lutte professionnelle. Et, plus tard, j'ai même dû m'exiler de la province de Québec pour pouvoir gagner ma vie.

C'est pour ça que ça me fait mal au coeur quand j'entends des gens dire aujourd'hui que je suis revenu à Montréal parce que je ne pouvais pas gagner encore ma vie aux États-Unis. C'est injuste, et c'est faux. Je suis toujours demeuré un Québécois de coeur, et j'aurais tellement mieux aimé gagner ma vie au Québec et à Montréal devant mes amis et mes compatriotes. Si j'ai lutté dans le nord de l'Ontario, au Texas, à Hawaï, au Japon, c'est parce que je ne pouvais pas gagner mon pain parmi les miens.

CHAPITRE 21

Mon territoire
au Saguenay—Lac-Saint-Jean

Georges Gagné était quasiment à Québec et aux alentours ce qu'était Yvon Robert à Montréal: un Dieu, que les gens vénéraient. C'était un superbe lutteur, il avait des prises absolument magnifiques, et nul doute qu'il aurait été l'un des grands de la lutte professionnelle si on lui avait donné sa chance.

Il m'a donné la mienne, et je lui en serai toujours reconnaissant. Il m'a dit, un jour que j'étais pas mal découragé; «Pourquoi ne viens-tu pas lutter au Saguenay—Lac-Saint-Jean? Tu n'y feras pas une grande fortune, mais tu gagneras au moins ta vie!»

J'ai sauté sur l'occasion qui m'était offerte. Tout de suite je proclamai à la télévision de Chicoutimi que le Saguenay et le Lac-Saint-Jean étaient mon territoire à moi, et qu'il faudrait une pelle mécanique, la plus grosse, pour m'en arracher.

Un promoteur avait même mis une pancarte sur la route en arrivant de Québec: «Attention, vous êtes désormais dans le territoire de Maurice Vachon.». Notez, en passant, que je n'étais pas encore surnommé *Mad Dog*, ça viendra plus tard.

Ce n'est pas pour me vanter, mais c'est moi qui ai alors inventé la coutume des bravades à la télévision. Toutes les semaines, de six heures moins quart à six heures le jeudi je passais *live* à la télévision et j'annonçais comment j'allais maganer l'un ou l'autre de mes adversaires, en particulier les frères Fortin, deux *beûs* de la région. Je luttais tantôt seul, tantôt par équipe avec mon frère Paul, à Jonquière, à Chicoutimi, Dolbeau, Saint-Félicien, Alma, Roberval, Port-Alfred, j'espère que je n'ai oublié personne.

C'est bien évident que j'étais le vilain, le méchant, et comme j'aimais me faire haïr de la foule en barbant tout le monde à la télévision. Je disais, par exemple, que personne, mais personne ne pouvait me battre, et je défiais quiconque de m'essayer dans l'arène ou en dehors de l'arène. Vous imaginez si le monde me haïssait, comme on haïra plus tard Mohammed Ali quand il prédisait qu'il allait mettre knock-out tel adversaire à tel round.

La lutte n'attirait pas beaucoup de monde à mon arrivée du Saguenay—Lac-Saint-Jean. Puis c'est devenu paqueté tant je pompais le monde contre moi, seul ou avec mon frère Paul.

À un moment donné, c'était devenu tellement effrayant, avec le monde, que je pouvais à peine me rendre au vestiaire à l'arène parce qu'on me barrait le chemin et qu'on m'attaquait de tout bord, tout côté.

On me frappait avec tout ce qui tombait sous la main, des bouteilles de bière, des madriers. Une fois, une femme a essayé de me crever l'oeil avec la pointe de son parapluie. Je le lui avais arraché des mains et je l'ai frappée au visage avec. Elle a voulu me faire arrêter par la police et me faire condamner par un juge. C'était rendu épouvantable!

Le pire soir, je pense, ça s'est passé à Jonquière. Mon frère Paul et moi on se battait contre l'équipe des frères Fortin, dont je vous ai déjà parlé. On les avait pas mal maganés dans l'arène, et la foule était devenue folle de rage. N'oubliez pas, non plus, qu'il y avait dans la région des hommes qui n'étaient pas manchots, croyez-moi, et c'est un miracle que je m'en sois sorti vivant.

En tout cas, ce soir-là, à Jonquière, contre les frères Fortin, ça avait été effrayant *épouvantable*. Je me souviens même pas si mon frère Paul et moi avions gagné le combat, ou si nous l'avions perdu par disqualification, peu importe. Ce que je me rappelle en détail, comme si c'était hier, c'est qu'il y avait deux mille personnes, sûr et certain, qui nous attendaient en dehors de l'arène, et c'était pas pour nous dire: bienvenue au Saguenay—Lac-Saint-Jean!

Mon frère Paul et moi, il nous a fallu traverser cette foule à coups de chaise, de pied et de poing. On n'a même pas été capables de rentrer dans notre vestiaire. Ça bardait tellement qu'on s'est retrouvés dans la rue, et j'avais crié à mon frère Paul: «Vite, vite, le dos au mur, n'en laisse pas passer par derrière toi!» Nous avons finalement dû nous barricader sous la galerie d'une maison, car on nous *pitchait* des bouteilles, des roches, des bâtons, toutes sortes d'affaires.

Heureusement que la police est venue et qu'elle nous a mis en prison. Le lendemain, dans le journal de Jonquière, c'était marqué:

«Les deux frères Vachon en prison pour leur protection!» Ça peut vous sembler drôle aujour-d'hui en lisant ce livre. Ça ne l'était pas pantoute pour mon frère Paul et moi ce soir-là.

CHAPITRE 22

Une bataille épouvantable
avec un nommé Desmeules
au Saguenay—Lac-Saint-Jean

Si vous pensiez que j'étais l'homme à abattre dans les clubs de nuit, c'était devenu dix fois pire maintenant que je faisais de la lutte professionnelle. Comprenez bien que je ne cherche pas ici à me faire plaindre. J'avais ma part de responsabilités. C'était moi qui montais la foule chaque jeudi à la télévision de Chicoutimi. C'était moi encore qui provoquais et pompais le monde à le faire enrager en écoeurant mes adversaires, plus particulièrement les lutteurs de la place, au Saguenay—Lac-Saint-Jean.

Je dois dire toutefois que j'étais l'homme à battre, *The fastest gun in the west*, indépendamment de mes bravades à la télévision et de mon comportement dans l'arène. Le lutteur professionnel connu du grand public est une cible naturelle pour les *forts-à-bras* qui veulent se faire une réputation de vrai *tough*. Comme ces gars-là pensent que la lutte c'est du *fake*, arrangé avec les gars des vues, et qu'ils ne sont pas aussi forts en personne qu'ils le paraissent dans l'arène au public, ils se disent qu'il n'y a pas grand risque à s'essayer et qu'ils se feront une grosse réputation dans les tavernes et les clubs en plantant dur une vedette de la lutte professionnelle.

Cela c'est la règle générale, comme vous le confirmeront des gars de la vieille comme Gino Britto et Régis Langevin, et comme vous le reconfirmeront des vedettes d'aujourd'hui comme les frères Rougeau, Dino Bravo, Macho Man et tout particulièrement une super-vedette comme Hulk Hogan.

Mais c'était un peu différent dans mon cas parce que je ne suis pas un colosse – je ne mesure que 5'8" – ni un mastodonte comme il y en a tant aujourd'hui. Comparé à mon frère Paul, par exemple, c'est bien évident que je ne fais pas le poids, c'est bien le cas de le dire. C'était donc tentant de m'essayer en premier, vu la taille et la corpulence de mon frère Paul. L'idée était de se débarrasser de moi en premier, puis d'attaquer Paul en gang.

Il était donc inévitable, dans mon territoire du Saguenay—Lac-Saint-Jean, qu'un gars s'essaye un jour ou l'autre. Ça s'est passé à St-Léon d'Alma, au début des années 50, avec un gars qui s'appelait Eddy Desmeules.

Je vivais alors dans un petit hôtel de la place, et je me trouvais dans un petit salon en train de boire une petite bière. Alors entre un gars, un vrai taupin, dans les 230 livres. Tout de suite en entrant il crie à tue-tête «Viens icitte!» Je vois à son ton de voix et à sa façon de s'asseoir à l'une des tables que le moment est arrivé, que c'est un gars qui veut m'essayer. Je ne le connaissais pas, je ne l'avais jamais vu de ma vie. Je lui réponds que je vais finir ma bière bien tranquillement et que je ne suis pas pressé. En dedans de moi, je bouille, j'enrage, je suis très fâché.

Je m'approche enfin de sa table et je lui dis: «Qu'est-ce que tu m'as dit tout à l'heure en faisant ton faraud?» J'ai pas fini ma question, bing! je le frappe en plein portrait. De sa chaise chromée, il tombe le cul par terre en renversant la bière qui fait une flaque sur le plancher. Là, je lui maudis un coup de genou dans la face, il me poigne, et nous roulons par terre dans la bière et les éclats de bouteille cassée.

Le voilà-t-il pas qu'il me frappe avec l'une des pattes de la table, tout près de l'oeil. J'en ai gardé la marque pendant des années. Il n'aurait pas dû faire cela. Là, je suis devenu vraiment enragé et je lui en ai sacré une mautadite de tabarnouche de bonne, à coups de poing, à coups de pied! Ma chemise était toute déchirée et j'étais plein de sang, pas à cause de ses coups à lui, mais à cause de la patte de table qui m'avait fait un trou près de l'oeil et ça saignait *épouvantable*!

Puis il s'est mis à brailler, un homme comme lui! Il n'a jamais perdu connaissance, même si je le maganais en vinyenne de tabarnouche, et il disait: «Excuse-moi, Vachon, je vais te demander pardon!» Il a été chanceux que la police arrive pour m'arrêter de le battre. Je pense que je l'aurais tué, tellement que j'étais enragé.

Plus tard, des gars ont dit à Desmeules qu'il devrait m'essayer encore. Il leur répondait: «Allez vous essayer, vous autres! moi, j'ai en mon *golgotha* de voyage!»

CHAPITRE 23

Témoignage de Georges Coulombes

Dans les années 50, je suis jeune, très jeune et la force physique pour moi est un culte. Ma famille, de l'ancêtre au benjamin, cultive un intérêt particulier pour la force et la santé.

Dans chaque paroisse, il y a quelqu'un d'imbattable, d'indestructible, on lui doit le respect, on a pas le choix. La valeur se qualifie encore à la tension des muscles, à la capacité comme on dit, à la force soutenue d'une bonne journée d'ouvrage.

La tradition, nous devions tous la respecter. Le prix à payer: bûcher, crever à tout ce que nous faisions. Ne jamais laisser paraître la moindre faiblesse ni émettre aucune plainte. Le Lac-Saint-Jean, royaume foulé par une nature généreuse, devait être le territoire incontesté de notre illustre phénomène de force, d'habileté, de résistance et d'agressivité: Maurice Mad Dog Vachon.

Ce dernier était à cette époque, terrifiant, invincible, brutal et inconditionnel dans ses matchs. Il faisait littéralement peur.

Comment ne pas s'émouvoir aujourd'hui d'entendre ce hors-la-loi du sport parler d'amour aux Québécois! Ceux qui comme moi ont suivi de près la carrière de ce phénomène de courage, ont pu voir petit à petit durant ses années de combat une transformation continue de son comportement qui devait inévitablement aboutir au sens de l'harmonie spirituelle qu'il manifeste aujourd'hui.

Maurice Mad Dog Vachon que je qualifie de génie de la force morale et physique est un phénomène incontestable. Il fait partie de cette cohorte de chanceux que la Nature a gratifiés merveilleusement.

Pendant 30 ans, il aura brillé dans un sport réservé à cette espèce spéciale d'athlètes, inconditionnels et farouchement individualistes. Un sport outrancièrement controversé, calomnié, désespérément incompris: la lutte libre professionnelle. Ce sport le plus libre au monde, et à mon avis révolutionnaire à force de l'être, aura été le premier vers 1875 à affranchir ses athlètes. À leur donner la clef des champs. Leur permettre du même coup de devenir des phénomènes uniques en leur genre. Les libérer enfin des robotisations serviles et avilissantes dont sont victimes nos vedettes sportives nationales.

La lutte libre professionnelle considérée comme incontrôlable, abandonnée par les intérêts publicitaires des impérialistes financiers, par les politiques de contrôle des mass-médias et la foi populaire suscite paradoxalement le plus vif intérêt partout dans le monde entier et enregistre des records d'assistance les plus spectaculaires tant dans les amphithéâtres qu'à la télévision.

Je crois sincèrement que la lutte professionnelle dans les années à venir n'a pas fini de nous étonner. Qu'on pense seulement à la difficulté pour tout le monde aujourd'hui de résoudre les problèmes de maladie et de trouver l'équilibre de la santé dans toutes les recettes populaires. Songez à ce qu'il adviendra dans un temps prochain si toutes les populations de la terre se décident, comme moi, à prendre ces athlètes comme exemple et à aller les voir dans le but d'acquérir leur technique et leur discipline de santé. Je verrais très bien les professionnels de la santé en faire autant. Ils auraient sûrement de meilleurs conseils à nous donner par la suite.

Longue vie à Maurice Mad Dog Vachon!

CHAPITRE 24

Le lutteur est un nomade par la force des choses

Le lutteur professionnel est souvent un nomade par tempérament, et il l'est toujours par la force des choses. C'est comme à la télévision, ce qu'on appelle le phénomène de saturation, les gens se tannent de te voir la face, et tu dois partir parce que les téléspectateurs veulent voir des nouveaux visages.

Même chose à la lutte professionnelle. Tu as beau devenir très populaire comme vedette, ou très populaire à l'envers comme le gros méchant, le jour arrive où tu dois ramasser tes cliques et tes claques, et aller te faire voir ailleurs. C'est la raison pour laquelle j'ai décidé un beau jour de quitter mon territoire du Saguenay—Lac-Saint-Jean, avant que les gens me disent de m'effacer ou de me faire rare.

C'est pour cette raison aussi que beaucoup de lutteurs ont vite abandonné. À la lutte professionnelle, il n'y a pas de syndicats et de conventions collectives qui t'assurent de garder ta job dans telle ville ou telle région pour le restant de tes jours. Ton *boss*, c'est pas le promoteur vraiment qui t'engage, c'est le public qui veut te voir ou qui en a assez de t'avoir vu. Même les plus grands noms de la lutte d'aujourd'hui doivent changer de place et ne pas lutter toujours au même endroit. Prenez Hulk Hogan, par exemple. Y a-t-il un lutteur plus populaire que lui? Non, mais remarquez qu'il espace ses visites à Montréal, qu'il ne vient que de temps en temps, à l'occasion d'un *Hulkmania*, d'une grosse soirée de lutte. Comme ça les gens s'ennuient de lui et ils ont hâte de le revoir.

Donc, si c'est vrai pour le fameux Hulk Hogan, ça l'était encore plus pour moi, au Lac-Saint-Jean, ou ailleurs. Je suis donc parti avec ma valise, espérant que je me trouverais une autre région où je pourrais gagner ma vie. J'ai attendu tout un hiver. Puis, un jour, un promoteur du Nord-Ouest québécois et du nord de l'Ontario, un nommé Kasakowski, m'a offert de venir lutter dans son circuit, qui comprenait Northbay, Sudbury, Timmins, Kirkland Lake, Rouyn-Noranda, et quelques autres petites villes encore.

Il m'a dit: «Maurice, j'aimerais ça que tu viennes lutter pour moi. J'ai entendu dire que tu étais bon lutteur, que t'en donnais au monde pour son argent, et de plus, il y a beaucoup de Canadiens français dans ma région.» Je n'en revenais pas, je n'en croyais pas mes oreilles, il m'offrait 350 piastres, garanties, par semaine! Dans ce temps-là, en 1953, c'était de la grosse argent. Est-ce que j'ai besoin de vous dire que j'ai sauté sur son offre à pieds joints?

Mais attention! Ce n'est pas tout qu'un promoteur vous fasse une offre pareille et qu'il vous accorde votre chance. Dans la lutte professionnelle, c'est ce que vous allez faire sur les lieux qui compte, pas ce que vous avez fait ailleurs dans le passé, même si vous avez une grosse réputation. Les gens veulent voir ce que vous valez en chair et en os. Il faut montrer au public que vous lui en donnez plus que pour son argent en venant vous voir lutter. Il faut, d'une certaine manière, que vous recommenciez à zéro avec un nouveau public, et que vous fassiez vos preuves sous ses yeux.

J'ai donc recommencé mon vieux scénario d'être haïssable à mort en faisant les bravades et en écoeurant les gros gars de la place, les vedettes du *boutte*. Ça marche, ce scénario, mais c'est un couteau à deux tranchants, et c'est un petit jeu dangereux que vous jouez là avec le public. Là-bas, dans le nord de l'Ontario, et les environs de Rouyn-Noranda, c'est plein de gars forts, des mineurs, des bûcherons, des gars qui sont emmanchés en vinyenne et qui n'ont pas froid aux yeux.

Moi, mon jeu, c'était de jouer avec leurs nerfs, de les pomper à mort, et j'y parvenais que c'en était de toute beauté, et les arénas se remplissaient à craquer. Une fois que j'avais bien malmené le héros du *boutte*, je prenais le micro de l'annonceur et je défiais n'importe qui pour 1000 piastres de monter dans l'arène contre moi.

J'étais chanceux. Personne n'avait osé jusqu'à maintenant relever mon défi. Et les rares fois que c'était arrivé, j'avais une bonne excuse: le gars n'avait pas de culotte de lutte, de bottines. Remarquez que personne ne me faisait peur, mais c'était pas pensable, au fond, de me battre dans l'arène avec un gars du public.

Et pourtant, c'est arrivé, un soir, à Rouyn-Noranda. Le gars s'était levé dans la troisième ou quatrième rangée, un colosse. Il mesurait six pieds quelques, pesait dans les 250 livres, une armoire à glace. Il était enragé que ça n'avait pas de bon sens. Il hurlait: «Toi, mon tabarnouche de Vachon, ça fait assez longtemps que tu nous écoeures, c'est ce soir que tu vas passer au batte!» Et voilà que le gars passe dans une sorte de couloir qui se trouvait sous les gradins. Là, où personne ne le voit, il enlève sa chemise, ses culottes, et il est en train de mettre un *jack-strap* que quelqu'un lui a passé, je n'ai pu savoir qui.

Là, je me dis, la farce n'est plus drôle. Le gars, il va sûrement monter dans l'arène, et ça va être une vraie bataille épouvantable. Je ne peux pas lui laisser faire cela, je pense vite, il faut que je l'arrête avant qu'il grimpe dans l'arène, pour arrêter le massacre.

Ça fait que je saute par-dessus les câbles et je plonge vers lui sous les gradins, alors qu'il a les cuisses entravées par le *jack-strap* qu'il était en train de mettre. Paf! sur le museau, le plus beau crochet de gauche depuis Sonny Liston! C'est à peine s'il a reculé sous l'impact du coup, où j'avais mis toute ma force. Ce qui prouve à quel point ce gars-là était *tough*. Nous nous sommes battus comme des tigres, à coups de poing, à coups de pied dans le ventre. Je lui bûchais dessus avec mes avant-bras, je lui cognais la tête contre le mur de ciment, rien à faire. J'en recevais autant que je lui en donnais, nous étions couverts de sang.

Dans le feu de l'action, nous étions sortis de dessous les gradins, et c'est devant l'aréna paquetée de monde que nous nous battions. J'en ris,

96

aujourd'hui, quand je pense qu'il avait la *bizoune* à l'air devant tout le monde!

Je me demande encore aujourd'hui comment cette bataille-là se serait terminée si la police n'était pas intervenue pour nous séparer. Chapeau, à ce gars-là! J'ai rencontré des bons hommes dans ma vie, mais *tough* et endurant et agressif comme lui, jamais de ma tabarnouche de vie.

CHAPITRE 25

Comment m'est venu
le surnom de *Mad Dog*

Même si je ne respecte pas l'ordre chronologique des événements, je pense que le temps est venu de vous raconter comment m'a été collé le surnom *Mad Dog*, un surnom qui m'était tellement naturel que tout le monde m'appelle ainsi aujourd'hui et qu'on continuera de le faire pour le restant de mes jours.

Ça s'est passé à Portland, dans l'État de l'Oregon, où un dénommé Don Owens était promoteur. Comparé à Montréal, Portland est une petite ville de rien, et Don Owens m'avait engagé dans l'espoir d'attirer les foules. Pour me rendre intéressant, et exotique, Don Owens avait décidé de faire de moi un Algérien, une sorte de brute assoiffée de sang, vu que la guerre était à son pire en Algérie et que les journaux parlaient à pleines pages des explosions dans les endroits publics qui faisaient beaucoup de morts.

Pour jouer mon rôle d'Algérien barbare, je me suis mis à sauter comme un kangourou dans l'arène, juste avant le début du combat, en poussant des cris de gorille.

Mon adversaire, pendant ce temps-là, a le dos tourné dans son coin, et avant le son de la cloche, avant qu'il se vire de bord pour me faire face, je lui saute dessus. Ping! ping! trois ou quatre claques dans le portrait! Puis beding! bedang! je lui donne des coups de pied dans le bas-ventre.

Le gars, il est vraiment plié en deux, le souffle coupé. Alors moi, je l'empoigne, je le soulève haut par-dessus ma tête, et vlang! je le *pitche* en bas de l'arène, les quatre fers en l'air, dans les premières rangées de spectateurs!

Là, furieux, l'arbitre saute sur moi pour m'arrêter. Alors je soulève l'arbitre à son tour, et lui aussi je le *pitche* en dehors de l'arène, où je me retrouve maintenant tout seul. Je fais ni de un ni de deux, je plonge à travers les câbles, je repoigne mon adversaire, et je le rabats dans un beau *body-slam* direct sur le plancher de ciment.

La foule, pendant ce temps-là, est devenue comme folle, une véritable crise d'hystérie. Comme je vous le disais dans l'un des chapitres précédents, l'adrénaline me pompe en crescendo dans tout le système dans ces moments-là et je deviens vraiment enragé, tellement que j'en vois plus clair et que les oreilles me bourdonnent. Après le *body-slam* à mon adversaire, j'en donne un aussi à l'arbitre, et je donne des coups de pied aux deux.

Comme si ce n'était pas assez, j'arrache la grosse cloche vissée à une table, et bedang! je la rabats sur la tête de mon adversaire, qui maintenant saigne comme un porc. La foule n'arrête pas de crier, et voilà qu'un policier, un vrai, me saute dessus, essaie de me frapper avec sa garcette.

Vif comme un poisson, je me glisse derrière le policier, et je le *pitche* dans la troisième rangée de spectateurs. Je suis rendu comme un vrai fou, je bûche à gauche et à droite, et voilà-t'y-pas que plusieurs policiers s'amènent pour m'arrêter.

Vite je remonte dans l'arène, et j'attends le tabarnouche qui osera monter le premier. Mais ils n'étaient pas fous, les policiers, ils sont montés en même temps de tous les bords de l'arène, et m'ont enchaîné dans leurs bras. «You're under arrest!» me crie l'un d'eux, et ils me traînent en dehors de l'arène tandis que l'arbitre me disqualifie.

Finalement, les policiers se sont calmés, ils m'ont conduit dans mon vestiaire, où un officiel de la commission athlétique de Portland m'a suspendu pour je ne sais plus combien de temps. Il étouffait de rage, le bonhomme, tellement qu'il avait de la misère à parler.

Moi aussi je réussis à me calmer un peu, quand la porte s'ouvre avec fracas et qu'apparaît le promoteur Don Owens, lui aussi pompé bien dur. Il me branle le doigt sous le nez, et me crie que ça n'a pas un vinyenne de tabarnouche de bon sens de faire des affaires pareilles. Puis il ajoute:

«You just looked like a mad dog out there...»

Mad Dog. Chien enragé. Quel beau surnom pour un lutteur! Et c'est comme ça qu'on m'appelle *Mad Dog* partout depuis ce soir-là.

CHAPITRE 26

Témoignage de Paul Vachon,
le frère de Maurice

Mon frère Maurice, faites attention, est un numéro bien spécial. Méfiez-vous toujours de l'impression que vous pouvez en avoir à la suite d'une rencontre, d'une conversation, même d'un livre comme celui-ci. Je pense, moi, bien le connaître comme le fond de mon mouchoir. De toute notre famille je pense que c'est moi qui le connais le mieux parce que j'ai lutté avec lui en équipe et que je l'ai accompagné dans plusieurs de ses voyages.

Et pourtant, après toutes ces années, après toute notre intimité depuis notre plus tendre enfance jusqu'à aujourd'hui, il lui arrive encore de poser des gestes et d'avoir des réactions qui me déconcertent!... Observez bien Maurice quand il est entouré de monde. Analysez ses paroles. Il parle beaucoup, car il a la langue bien pendue, on croirait qu'il vous raconte tout, à première vue, mais, au fond, c'est un être secret qui ne dit pas grand chose de ce qu'il ressent, de ce qu'il pense.

N'allez pas maintenant croire que c'est un hypocrite ou un *bull-shitter*! C'est tout simplement qu'il n'aime pas se confier tout à fait, même à ses meilleurs amis, et même avec ses frères et soeurs, moi compris.

Et pourtant, comme je vous disais, je pense être celui de tous mes frères et soeurs qui le connaît le mieux, c'est-à-dire en profondeur, là où se révèle vraiment sa personnalité, disons plutôt son caractère. N'oubliez pas non plus, en lisant ceci, que je suis plus jeune que Maurice de huit ans, une différence énorme lorsqu'on est enfant, ou adolescent.

Malgré cette grosse différence d'âge, Maurice m'emmenait s'entraîner avec lui quand il a commencé à faire de la lutte amateur aux alentours de 13-14 ans. Il faisait entre autres de la course à pied tous les jours, dix milles environ, et il m'obligeait à l'accompagner, même si je n'avais que cinq ans. Je finissais par me fatiguer de courir, ou par m'ennuyer, alors Maurice me prenait sur ses épaules, et il courait encore quatre ou cinq milles.

Revenu à la maison, Maurice continuait de s'entraîner, à faire le pont, comme on dit dans la lutte. C'est-à-dire qu'il se tenait à terre seulement par ses pieds et par sa tête, tout le corps arqué. Ça, c'était pour se renforcer le cou. Mais cet exercice-là ne lui suffisait pas, ce n'était pas assez dur à son goût. Là, il me disait, ainsi qu'à mes frères Guy ou Marcel, de s'asseoir sur sa poitrine, et de peser le plus fort possible pendant qu'il faisait le pont. C'est donc pas par hasard que Maurice avait un tour de cou de 18 ou 19 pouces lorsqu'il était chez les amateurs dans la catégorie des 174 livres! Il avait le cou tellement fort que jamais personne – même des lutteurs plus expérimentés que lui – n'a réussi de toute sa vie de lutteur à lui coller les épaules au tapis.

Maurice, c'est le mot, était un maniaque malade de l'entraînement. Il s'était même acheté un cours par correspondance – en anglais – de Charles Atlas sur le conditionnement physique, et c'est mon père qui lui traduisait les exercices qu'il devait faire à tous les jours. Ça fait que j'ai jamais vu un gars qui était en forme comme Maurice. Au Y.M.C.A., où il s'entraînait avec des hommes beaucoup plus vieux et beaucoup plus expérimentés que lui, eh bien, il parvenait à les battre tous, l'un après l'autre.

Son secret était bien simple: attaquer toujours et attaquer encore. Alors il vidait ses adversaires, il les écoeurait à force de résistance, il ne lâchait jamais d'une minute, et c'était finalement l'autre qui s'écroulait, à bout de souffle et de forces.

Ces exploits étaient d'autant plus remarquables que Maurice, au fond, n'était pas tellement fort physiquement. N'oubliez jamais qu'il ne mesure que cinq pieds et huit, et qu'il ne pesait que 174 livres quant il était à son meilleur dans les compétitions internationales de lutte chez les amateurs. Comme aux Jeux olympiques de Londres en 1958 (il n'avait que 18 ans), et aux Jeux de l'Empire britannique en Nouvelle-Zélande deux ans plus tard.

Lorsqu'il a décidé de passer chez les professionnels, tout le monde a essayé de le dissuader. Tu es trop léger, tu n'es pas assez grand, assez costaud pour réussir contre des mastodontes de 250 livres, quand ce n'était pas plus lourd, comme Yukon Eric, par exemple. Personne ne l'a encouragé, vraiment personne. Mais cela, c'était assez pour convaincre Maurice de s'essayer, de prouver à tout le monde qu'ils avaient tort. Il est comme ça, Maurice. Il suffit qu'on lui dise que quelque chose est impossible pour qu'il l'essaye, qu'il relève le défi.

Une tête dure. Une tête, pas de Vachon, pas de Picard (c'était le nom de famille de notre mère).

Oui, c'est un personnage paradoxal, Maurice, je crois que c'est le mot juste pour le décrire. On ne peut jamais être sûr de ses réactions, j'en sais quelque chose. Un jour vous lui demandez de l'aide, et il vous envoie manger de la marde. Le lendemain, il vous donnera son *char*, sa dernière piastre. C'est grâce à ce caractère de chien, oui, de chien enragé qu'il est passé au travers des pires difficultés. Tenez, je suis prêt à parier avec vous que Maurice, malgré son amputation, va faire de la lutte amateur. Vous verrez, et souvenez-vous de ce que je vous dis aujourd'hui...

CHAPITRE 27

Témoignage de Bob *Legs* Langevin, ancien lutteur

Un *ripper*, c'est l'expression qu'on employait entre lutteurs pour décrire un adversaire comme Mad Dog Vachon. C'est-à-dire un gars qui te brutalise sans arrêt, qui t'attaque avec des claques, des coups de poing, des coups d'avant-bras et de coude. À coups de pied aussi, si vous lui en laissiez la chance.

Mad Dog était le Rocky Marciano de la lutte. Il ne vous battait pas avec de belles prises, comme un Vern Gagne, par exemple, comme un Lou Thez, mais à force de rudesse, de brutalité. Il s'attaquait, par exemple, à une jambe, et il n'arrêtait pas de bûcher dessus, de vous faire mal. En un mot, il vous écoeurait sans arrêt, vous faisait souffrir comme par exprès, avec un acharnement de chien enragé. Oui, il méritait bien son surnom.

J'ai lutté quatre ou cinq fois contre lui, et j'ai gagné un fois, je pense parce que l'arbitre l'avait disqualifié. Mes combats avec Mad Dog Vachon, je ne les oublierai jamais de ma vie.

CHAPITRE 28

On ne m'a jamais fait de cadeaux dans la lutte professionnelle

La majorité des gens pensent que les lutteurs mènent une belle vie facile, et qu'ils gagnent de l'argent à la pelle. Les Montréalais, par exemple, pensent que le lutteur ne travaille que le lundi soir, et qu'il se la coule douce le reste de la semaine. La vérité, c'est qu'il faut être un peu fou pour faire de la lutte professionnelle. Je vous l'ai dit une vie de nomade, de *gypsy*. Ici aujourd'hui, demain à Alma, deux jours plus tard à Magog ou à Sherbrooke. Je pouvais dire cela à travers toute l'Amérique, et dans certains cas dans le monde entier.

Prenez Bob *Legs* Langevin, par exemple, dont vous venez de lire le témoignage à mon sujet. Quel beau lutteur scientifique! Sa prise tourbillon avec ses jambes était superbe, l'une des grandes prises que j'ai vues dans ma vie. Eh bien! Bob Langevin, il a dû s'exiler en Europe et plus particulièrement en Angleterre pour manger trois fois par jour comme du monde. Et combien d'autres exemples pareils je pourrais vous donner!

Moi, dans mon cas, personne ne m'a jamais fait de cadeaux dans la lutte professionnelle. Parce que j'étais moins gros et moins grand que les vedettes de mon temps, j'ai dû travailler deux fois plus fort que tout le monde. Rien n'est jamais gagné une fois pour toutes dans la lutte, comme je vous l'expliquais dans un chapitre précédent. Pour une place dans un programme de lutte dans une ville ou dans une autre, il y en a au moins vingt-cinq qui se battent pour l'avoir.

Vous avez autant de *boss* qu'il y a de promoteurs. Plus encore, vous avez des milliers et des milliers de *boss* qui décident si vous avez un job, ou si vous tombez en chômage: les spectateurs. Ce sont eux qui décident de votre gagne-pain. Chaque fois que vous montez dans l'arène, c'est votre gagne-pain que vous jouez. Ça n'existe pas les soirées où vous pouvez vous permettre de souffler un peu et de ménager vos forces. On doit y aller au fond, au bout de ses forces. D'abord parce que le public l'exige. Ensuite parce que les plus dangereuses blessures vous menacent si vous cessez d'être alerte et sur vos gardes un seul instant.

Le combat fini, vous ne rentrez pas tranquillement à la maison pour vous mettre en pantoufles et robe de chambre. Non, vous devez embarquer à trois ou quatre dans le même *char*, pour sauver ainsi des dépenses, et comme ça vous devez faire des cent milles pour vous rendre à temps là où vous allez lutter ensuite. Vous connaissez Eddie Creatchman, l'haïssable? Demandez-lui combien de fois, l'hiver, nous avons dû rouler en pleine tempête, ou sur de la glace vive pour aller gagner un cinquante piastres dans une petite ville.

Les voyages en voiture, les voyages en avion, moi j'ai connu les deux époques durant ma carrière. Mais j'ai été surtout un lutteur de voyages en voiture. De voyages la nuit, quand vous tombez de sommeil, et que vous risquez ainsi de vous tuer. Une fois, au Texas, j'avais tellement sommeil que j'ai arrêté un camion sur la route, et j'ai demandé au chauffeur s'il n'avait pas quelque chose à me donner pour m'empêcher de tomber endormi au volant. Il m'avait donné une petite pilule blanche, et ça m'a tellement réveillé que je n'ai pas pu dormir pendant deux jours!

J'ai parlé de blessures, certaines extrêmement graves et, dans certains cas, mortelles. Alors les gens rient et se moquent, et certains journalistes vous parlent de capsules de sang que l'on s'écrase sur le front ou sur la tête pour faire spectaculaire et paraître blessé. J'ai demandé à l'un des journalistes s'il avait jamais vu, ou trouvé une capsule autour de l'arène, une fois les combats terminés? Il m'a répondu, d'un air de fin finaud, qu'il en avait entendu parler.

Je lui ai répondu que ce n'était pas là la question que je lui avais posée, mais celle de savoir s'il avait jamais vu de ses yeux vu une seule de ces mystérieuses capsules, qui disparaîtraient dans l'air, comme par miracle. Le journaliste a dû finalement avouer que non, qu'il n'en avait jamais vu personnellement de ces capsules.

Je vais vous en raconter une bonne, au sujet des blessures *fakées*. Quand je luttais au Texas, après un assez long séjour à Hawaï, un lutteur est mort dans l'arène. Oui, vous avez bien lu, le lutteur en question était mort dans l'arène, pendant un combat. Ils l'ont sorti de l'arène sur un brancard, le public criait au *fake*, et il s'est mis à lui brûler le corps un peu partout comme il traversait la foule.

Vous connaissez mon frère Paul, qui s'occupe maintenant du réseau de *Mad Dog Burger*? La prochaine fois que vous le rencontrerez, regardez bien son cou. Vous verrez une cicatrice qui lui va d'une oreille à l'autre. Ça, c'est arrivé à Los Angeles, où un maniaque fanatisé lui a tranché le cou avec un couteau. Un autre exemple: Bob Legs Langevin. Demandez-lui de vous raconter comment un type lui a un soir coupé les parties, si bien qu'il est aujourd'hui castré, un eunuque. Une vie de chien dans un monde de fous, je vous le dis!

Je reviens à l'argent qu'on est supposé ramasser à la pelle. On oublie que le lutteur n'a pas de compte de dépenses. Son *gaz*, son motel, ses repas, les siens et ceux de sa famille, c'est lui qui les défraye, pas le promoteur, personne d'autre. Vous seriez surpris de la misère qu'on a souvent, quand l'argent que l'on gagne dans l'arène ne suffit pas à couvrir les frais dans la vie ordinaire. Je me souviens d'une fois, au Texas toujours, j'étais cassé comme un clou et j'ai dû me sauver par la fenêtre de ma chambre de motel parce que je n'avais plus une cenne noire pour la payer. Je me souviens aussi des semaines et des semaines passées sans combats, donc sans revenus. Dans la lutte, quand on travaille à l'étranger, on ne collecte pas d'assurance-chômage, les gens oublient cela, parce que tout leur semble beau et facile lorsqu'ils vous voient lutter un soir dans leur ville, chez eux.

CHAPITRE 29

Comment se défendre
des foules enragées

J'espère que vous me comprenez lorsque je vous raconte les aspects inconnus et pénibles de la lutte professionnelle. J'espère surtout que vous ne pensez pas que je cherche à me faire plaindre et à jouer au martyre. Personne ne m'a mis un revolver sur la tempe et m'a forcé à faire de la lutte professionnelle. Si j'ai profité des avantages de la lutte, il n'est que normal que j'en accepte aussi les inconvénients. J'ai seulement voulu vous montrer que ce n'est pas aussi facile que ça en a l'air, un point, c'est tout.

Quand on me demande ce que j'ai trouvé le plus dur dans la lutte professionnelle, indépendamment de la vie de nomade et d'avoir à recommencer au bas de l'échelle en changeant de région, je dois répondre que c'est la foule, surtout pour moi qui étais un vilain. Là encore je n'essaie pas de me plaindre. Si les foules dans le Saguenay—Lac-Saint-Jean et dans le nord de l'Ontario et du Nord-Ouest québécois m'ont rendu la vie de lutteur difficile, je n'ai que moi à blâmer.

Vous connaissez maintenant mon scénario. Dès mon arrivée dans une nouvelle ville, je me mettais à barber tout le monde à la radio et à lancer des défis aux vedettes locales. Je les humiliais, je les écoeurais à force de leur dire à la radio qu'ils étaient des pas bons et que je balaierais le tapis avec eux de telle ou de telle façon. Puis je m'en prenais aux amateurs de lutte, qui étaient déjà en mautadit contre moi. Je leur disais ce que je ferais à leurs idoles, et ce que je ferais avec eux s'ils avaient le courage de monter dans l'arène contre moi. Je promettais de l'argent *cash*, 500 piastres, 1 000 piastres même à ceux qui parviendraient à me tenir tête un certain temps.

Remarquez que je ne courais pas grand risque dans les grosses villes de voir un gars me prendre au mot et relever mon défi. Mais grosses ou petites villes, je réussissais quand même à enrager tout le monde, avant même la journée du combat. C'est à l'extérieur de l'arène, en m'y rendant, et surtout en sortant que je courais les plus grands risques de me faire attaquer et de me faire mettre en pièces.

Avez-vous déjà vu une foule enragée, qui en bave, les yeux sortis de la tête, les poings levés? C'est effrayant à voir. C'est comme une grosse bête aux mille pattes, prête à vous engloutir, à vous lyncher. J'ai vu cela au Saguenay—Lac-Saint-Jean où j'affrontais les frères Fortin. J'ai vu ça dans le Nord-Ouest québécois, tout particulièrement à Rouyn-Noranda. J'ai vu ça, je vous en reparlerai plus loin, à Trois-Rivières et à La Tuque, lors de mes combats de la mort, dans une cage, avec Tarzan Babin. Mais laissez-moi vous parler, avant, des dangers que j'ai courus au Texas, où la foule enragée était plus dangereuse que n'importe où ailleurs.

Au Texas, à Corpus Christi, par exemple, il y avait beaucoup de Mexicains dans les foules. Des vrais fous enragés. Ils venaient à la lutte avec des couteaux, avec des rasoirs, pour nous couper. Dans ce temps-là, je faisais équipe avec Joe Killer Christi, un gars qui n'avait pas froid aux yeux. Un beau soir, lui et moi on décide qu'il fallait faire quelque chose, que ça n'avait plus de vinyenne de bon sens, qu'on finirait par se faire tuer, ou se faire ouvrir le ventre, comme c'était arrivé à un lutteur de ce bout-là. Oui, je n'exagère pas, on lui avait ouvert le ventre, et le gars avait dû ramasser ses intestins qui pendaient avec ses mains, pour aller se faire coudre à l'hôpital le plus proche!

C'est de ça que Joe Killer Christi et moi-même avions peur. Alors, un soir, on a décidé de nettoyer la place, lui à gauche, moi à droite. On frappait les gars pour tuer, à poings nus, ou avec des chaises en bois, et ça tombait comme des mouches, les autres se sauvaient, pris de peur. Nous avons fait un carnage, et la police, une fois de plus, a dû s'en mêler. Mais ça a été bon pour les promoteurs et pour nous. À chaque fois que nous luttions, les bâtisses étaient remplies, noires de monde.

Toute ma carrière de lutteur j'ai eu du trouble avec les foules, tant le monde me haïssait. Pour me défendre, pour éloigner le monde de moi, j'avais mis au point une technique. Je courais à gauche, puis à droite, frappant n'importe qui dans le portrait, dans le ventre, dans les parties s'il le fallait. Ce qu'il fallait surtout éviter, c'est que des spectateurs t'attaquent dans le dos. Alors je m'arrangeais toujours pour ne pas me faire poigner de même, et si l'un avait le malheur de se faufiler derrière moi, je le battais aussitôt comme du blé. Le truc, en allant ou en revenant de l'arène, c'est de foncer vite en avant en culbutant le monde au passage. Il ne faut pas rester à la même place, car alors les gens t'entourent, et tu es un homme mort.

Remarquez que ce n'est pas toujours aussi dramatique que cela. Je me souviens d'une spectatrice au stade Exchange. Elle se levait à tout bout de champ pour me crier des noms, me menacer. À un moment donné, je suis poussé par terre, et ma tête appuie sur le câble du bas. Je la guette du coin de l'oeil s'approcher, et balancer sa sacoche pour me frapper à la tête. À la toute dernière seconde j'empoigne l'objet, et je l'ouvre, et je le lance haut, très haut dans les gradins. C'était drôle de voir tomber ce qui était dans sa sacoche, son rouge à lèvres, son poudrier, ses clefs, son chapelet. Plus elle me criait des noms, plus je riais.

Oui, il y a des moments comiques dans ce métier.

CHAPITRE 30

Mes combats de la mort à Trois-Rivières

La lutte était aussi bien dire morte à Trois-Rivières quand j'y arrivai un printemps, au moment où on enlevait la glace dans l'aréna. Mon premier soir de lutte, il y avait à peine 200 personnes. J'ai dit au promoteur, Régis Lévesque, qui faisait aussi de la boxe: «Tu veux faire de l'argent? Alors laisse-moi faire, moi et le Baron.»

Le Baron, c'était un gars qui s'était donné le surnom de Von Raski. Il avait mis une croix gammée dans le dos de sa robe de chambre, et il portait un monocle. Il faisait peur avec sa grosse tête rasée, ses oreilles en choux-fleurs, et ses mains, grosses comme des pattes d'ours.

Mon truc: lancer un défi au spectateur qui oserait monter dans l'arène pour 1000 piastres, c'est le Baron qui le lançait. Croyez-moi ou non, vous pouvez vérifier dans les journaux, et le demander à Roger Drolet de CKVL, qui travaillait alors pour une station de radio au Cap-de-la-Madeleine, il y avait toujours un gros cave qui montait dans l'arène pour s'essayer avec le Baron Von Raski. Ça ne durait pas longtemps, le Baron faisait vite son affaire au *boulé* du *boutte*, et les foules ne cessaient pas de grossir.

Puis ce fut le soir de notre combat de la mort contre les frères Rougeau, Bob et Johnny, dans la cage. La cage, c'était fait avec de la broche de poulailler, et on ne pouvait plus en sortir une fois qu'on était enfermés dedans.

Je ne vous conte pas de menteries, il y avait ce soir-là 7000 personnes dans l'aréna. Les gens suaient sans bon sens, paquetés comme ils étaient, et le plancher était si mouillé de sueurs qu'il en était graisseux. 7000 personnes! Au Baron et à moi, ça nous a pris une demi-heure pour nous rendre du vestiaire à l'aréna. Dès que les gens nous ont vus, ils se sont tous mis à hurler contre nous, c'était épouvantable. Ça a été la soirée la plus dangereuse de ma vie. Les gens nous attaquaient de tous les bords à la fois, et ils ont réussi à nous isoler, le Baron et moi, chacun de notre côté de l'arène, où les frères Rougeau nous attendaient.

Ils étaient devenus fous de rage, les gens, ils voulaient nous massacrer, et les policiers sur les lieux dans l'aréna ne pouvaient rien faire pour nous protéger. Moi, je m'étais accroché des deux bras à un poteau de l'arène, tandis que des gens me tiraient par les jambes et que d'autres me frappaient à bras raccourcis. C'est simple, j'étais un homme mort si je ne réussissais pas à me dégager.

Il y avait un gars qui m'avait pris à bras-le-corps, c'était le plus dangereux dans les circonstances. Alors je lui ai enfoncé mes pouces dans la tête et lui ai presque arraché un oeil. Je ne pouvais rien faire d'autre, vous me comprenez. M'étant libéré, j'ai couru au secours du Baron, qui était mal pris. Beding! bedang! à coups de pied dans le tas, j'ai libéré le Baron, et nous avons pu lutter contre les frères Rougeau, qu'on a battus.

Quelle soirée! Les gens ont cassé toutes les vitres dans l'aréna, ils ont viré des autos à l'envers et y ont mis le feu. Comment le Baron et moi on s'en est sortis vivants, c'est un miracle!

Il faut maintenant que je vous parle de mes combats mémorables à Trois-Rivières avec le héros de la place. Il s'appelait Tarzan Babin.

CHAPITRE 31

Mes mémorables combats
avec Tarzan Babin

C'était tout un homme, Tarzan Babin. Un athlète complet, qui avait joué au baseball, au football, et qui savait lutter. Il n'avait qu'une faiblesse: il saignait à rien, juste au-dessus des arcades sourcilières, parce qu'il avait là des os protubérants qui perçaient la peau dès qu'il y avait un coup solide.

Il était la coqueluche des gens de Trois-Rivières et dans toute la région. Vous avez deviné que j'en profitais pour rire de lui et l'écoeurer en public, car j'avais une émission d'une heure chaque semaine à la radio ou à la télévision. À la radio, c'est Roger Drolet qui animait l'émission, une ligne ouverte. Les gens appelaient pour me poser des questions, et moi j'en profitais pour dire que leur fameux Tarzan Babin ne me faisait pas peur, puis je décrivais en détail ce que je ferais avec lui lors de notre combat.

Un jour, Roger Drolet avait téléphoné à Babin, chez lui, et comme il bégayait, c'était à se tordre de rire de l'entendre me répondre: «Toi-toi, mon-mon-mon-Va-Va-Vachon...» Je me moquais encore plus de lui, imitais son bégaiement. Ça fait que les gens de Trois-Rivières et de la région étaient en mautadit contre moi, et venaient aux soirées de lutte dans l'espoir de voir leur héros me planter solide. Nous avons fait plusieurs combats ensemble, je le rudoyais *épouvantable*, mais je m'arrangeais toujours pour employer des tactiques illégales, les pieds dans les câbles, par exemple, et je me faisais disqualifier.

Un soir, à Trois-Rivières, je l'ai vraiment magané, puis je lui ai donné un coup d'avant-bras au visage, et le voilà qui saigne comme une chantepleure. Une semaine plus tard, à Lachute, nous avons un combat revanche. Il a d'abord le meilleur sur moi, et le monde hurle de joie, vous pouvez imaginer.

Moi, j'attends mon occasion pour le planter solide. À un moment donné, il m'a par la tête, et il me projette dans les câbles. Je rebondis en sautant au-dessus de lui, et en même temps je le frappe d'un genou à sa blessure, qui n'est pas encore tout à fait guérie. Le sang, des flots de sang partout dans l'arène. La foule est folle furieuse. Elle se déchaîne, casse toutes les vitres de la place. Ça n'a plus un vinyenne de bon sens. Ils veulent me tuer. La police arrive pour remettre de l'ordre, et me libérer, car le monde entourait déjà complètement l'arène.

Finalement, le *char* de la police est entré dans la bâtisse, les policiers m'ont embarqué dedans, et nous sommes sortis par une porte en arrière. Heureusement que le monde n'avait pas prévu cela, la foule aurait pu arrêter le *char* de la police et le virer à l'envers. Les gens étaient assez furieux pour faire n'importe quoi.

Le promoteur décide alors que Babin et moi, on ferait un combat de boxe, en mai, avec des gants.

Babin réussit à me mettre knock-out au septième round, la foule jubile, mais on accuse Babin d'avoir mis du plomb dans l'un de ses gants.

Il a donc été décidé qu'on viderait nos chicanes une fois pour toutes dans un combat de la mort, dans la cage, dont seul sortirait le survivant. Là, on avait dépassé les limites. Il y avait menace d'émeute. Ça n'avait plus un mautadit de bon sens, et le chef de police de Trois-Rivières a pris la décision d'arrêter la lutte. Il n'y en aurait plus.

Aujourd'hui, vous n'avez qu'à le demander aux gens de Trois-Rivières, on parle encore des combats sanglants entre Tarzan Babin et Mad Dog Vachon.

CHAPITRE 32

Témoignage de Roger Drolet, animateur à CKVL

Ce n'est pas à Trois-Rivières, mais à Edmonton que j'ai rencontré Mad Dog Vachon pour la première fois en 1959. Je devrais plutôt dire Maurice et Paul, son frère, car ils s'étaient présentés ensemble au poste, habillés comme des bûcherons. Marcel Couture, qui est aujourd'hui vice-président de l'Hydro-Québec, était alors directeur des programmes, et nous avons tout de suite organisé une interview des deux frères avec un dénommé Tharcisse Forestier, dont l'émission était extrêmement populaire dans l'Ouest canadien.

Il importe ici, dans ce témoignage sur Mad Dog Vachon, de souligner le fait que Forestier était manchot, ce que tous ses auditeurs savaient. L'esprit vif, et habile comme pas un pour profiter de tout, Mad Dog a parti la chicane sur les ondes avec le pauvre Forestier! Les auditeurs étaient tellement furieux qu'ils étaient venus s'attrouper à la porte du poste, et certains avaient même réussi à entrer dans l'antichambre du studio et à suivre l'émission à travers le panneau de vitre.

À ce sujet, il faut rendre hommage à Mad Dog Vachon, l'innovateur. Bien avant Eddie Creatchman et encore bien avant les lutteurs contemporains de la World Wrestling Federation qui cherchent à faire mousser l'intérêt du public par des déclarations incendiaires à la télévision, Mad Dog a inventé le genre. Personne ne réussissait comme lui à affoler une foule, à enrager les gens. Il avait le don de tout casser au micro, comme je l'ai découvert à Edmonton, et quelques années plus tard à Trois-Rivières.

Le meilleur exemple que je peux donner à ce sujet est le scénario qu'il a monté de toutes pièces à Trois-Rivières autour du héros local, un dénommé Tarzan Babin. Babin était la coqueluche des trifluviens, un athlète assez exceptionnel, mais pour dire toute la vérité il n'avait pas la classe de Mad Dog dans une arène de lutte. Et pourtant, la saga Babin-Vachon a duré presque deux ans, non seulement à Trois-Rivières mais dans toutes les régions, jusqu'à La Tuque.

Personne ne parlait d'autre chose dans la région que les combats de Babin-Vachon. Et pour cause! Jamais n'ai-je vu autant de sang couler dans une arène de lutte, et ce n'était pas du ketchup, car j'ai vérifié sur les lieux alors que je travaillais pour le poste CHLM, qui appartient aujourd'hui au réseau Télémédia.

La foule était en transe quand ces deux-là s'affrontaient d'un match revanche à un autre match revanche. Le clou de cette saga-là a été le combat de la mort dans une cage, sans arbitre, laissant seuls Vachon et Babin s'en donner à coeur joie. Il y eut plusieurs combats de la mort, et à l'issue de l'un de ces combats Babin, sans connaissance, avait été sorti sur une civière tandis que la foule hurlait à la mort et voulait s'en prendre à cet écoeurant de Mad Dog Vachon.

Le point culminant de toutes ces batailles s'est passé à La Tuque. Je n'ai jamais vu de ma vie une foule atteindre un tel point d'hystérie. Les gens, à la lettre, écumaient de la bouche. Il a fallu faire venir je ne sais plus combien de policiers et de pompiers pour protéger Mad Dog et le sortir vivant, et de l'arène, et de l'édifice. Si la foule avait réussi à mettre la main sur Vachon, il aurait été littéralement lynché. Les choses en étaient venus à ce point-là!

Au cours des ans, à Edmonton d'abord, à Trois-Rivières ensuite, je suis devenu un ami intime de Maurice Mad Dog Vachon. C'est le jour et la nuit entre le lutteur et l'homme. En dehors de l'arène, Maurice est un doux, un sentimental, la larme facile à l'oeil, qui peut donner son dernier trente sous pour aider quelqu'un. Ce qui m'a surtout frappé chez lui, c'est son absence de rancune. On peut lui faire les pires tours de cochon, et il pardonne. Mais attention, il ne faut pas aller trop loin avec lui et se moquer de son métier de lutteur, par exemple.

À ce sujet, laissez-moi vous raconter une anecdote qui en dit long sur l'homme et sa personnalité. Cela s'est passé au J.J. Steakhouse, qui au fil des années est devenu le rendez-vous des sportifs. Maurice y venait régulièrement après l'un de ses combats. Ce qu'il aime, dans ces occasions-là c'est manger son steak bien tranquillement en compagnie de quelques bons amis. J'ajoute que Maurice est l'homme d'une seule femme, et qu'il ne flirtait même pas des filles qui l'auraient bien voulu.

Ce soir-là, à sa table, se trouvaient Jacques Livernoche, le propriétaire du J.J. Steakhouse, notre Régis Lévesque national et moi-même. Nous parlions de choses et d'autres quand un gars effronté s'est assis à notre table sans y avoir été invité. Le gars s'est mis à barber Maurice, en lui disant que Tarzan Babin n'était pas un homme vraiment fort et que Maurice n'avait aucun mérite de le battre. «Moi, disait le gars, je peux battre Tarzan Babin à n'importe quelle heure de la journée, et d'une seule main. Alors, Vachon, tu te penses peut-être ben bon, mais il serait temps que tu te battes avec de vrais hommes, comme moi...»

Je regardais Maurice tandis que le gars parlait. Pas un mot. Il continuait de manger son steak comme si de rien n'était et pas une émotion ne paraissait sur son visage. Il devait bouillir, pourtant. Livernoche, Régis et moi, nous ne savions que dire, que faire. Mieux valait laisser les choses tranquilles, et nous attendions que le gars finisse d'écoeurer Maurice, et s'en aille, pour pouvoir continuer notre conversation.

Arrive le moment où Maurice termine son repas. Bien posément il a reposé ses ustensiles sur l'assiette et s'est essuyé la bouche. Il se lève et nous serre la main à chacun en nous souhaitant une bonne fin de soirée. Arrivé au gars, qui n'avait cessé de le narguer, Maurice a dû faire quelque chose, mais nous n'avons rien vu. Seulement le gars était étendu par terre, sans connaissance, il ne bougeait même pas. Nous autres, nous pensions qu'il était mort, tant il était rigide, comme une barre de fer. Régis Lévesque prend peur, il pense que le gars est mort, et j'avoue que j'avais un peu peur aussi. Cette immobilité rigide du corps avait de quoi nous effrayer.

Maurice était parti comme si de rien n'était: «À la prochaine, mes amis!» et nous autres nous étions là à regarder le corps du gars étendu à nos pieds. Imaginez l'émoi dans le restaurant quand les clients se sont rendu compte de la chose.

Maurice, et ce cas-là en est un bon exemple, était tout à fait imprévisible. Je l'ai dit, je le répète, un gars doux en dehors de l'arène. Et plein d'attentions délicates pour ses amis. Par exemple, depuis que nous nous étions liés d'amitié dans l'Ouest canadien, il m'écrivait régulièrement de sa grosse écriture des cartes postales ou des lettres d'Hawaï, du Japon, toujours un mot gentil. Et pourtant, le même homme si aimable pouvait s'embarquer dans une bagarre épouvantable, avec des hommes deux fois plus gros que lui. Demandez-lui, un jour, de vous raconter sa bataille avec la terreur de la ville dans le bar de l'hôtel à Winnipeg. Demandez-lui aussi de vous raconter le tour incroyable que lui et son frère Paul ont joué au *Grand Antonio*. C'est à brailler de rire!

CHAPITRE 33

Une bataille épouvantable
à Winnipeg

En lisant le récit de mes batailles hors de l'arène, mes batailles dans les clubs de nuit, par exemple, il y en a qui diront que j'y allais trop fort, que j'aurais pu me défendre sans démolir autant mon adversaire, autrement dit que j'étais sadique. Dans un chapitre précédent, j'ai essayé de vous expliquer cette violence en moi, une violence qui augmentait au fur et à mesure que je me battais. Plus on me bûchait dessus, plus je portais des coups, des coups de poing et des coups de pied, des coups d'avant-bras et des coups de genou, sans réfléchir, par instinct. Je le répète, je n'ai jamais frappé personne qui ne m'avait pas provoqué, ou menacé. Ça, informez-vous, tout le monde vous le dira.

De plus, une bataille de rue a ses lois propres. C'est le plus chien enragé qui l'emporte, je l'ai appris d'expérience, très jeune, du temps que je luttais chez les amateurs, et que je travaillais fort au port de Montréal.

J'avais alors 16 ou 17 ans, et je transportais des brouettes remplies à ras bord, qui étaient très lourdes. Un jour, un gars qui m'en voulait pour je ne sais pas quelle raison, a laissé retomber la brouette de mon bord, intentionnellement, pour me faire mal. Je le sentais, je le savais, ce gars-là cherchait la bataille depuis longtemps, et le moment était venu où je devais le remettre une fois pour de bon à sa place.

Je portais un blouson de cuir, et j'étais en train de l'enlever, mes deux bras encore pris dans les manches, quand le gars en a profité pour me frapper en pleine face. Ce jour-là, j'ai appris une fois pour toutes dans ma vie qu'une bataille de rue n'est pas un combat de boxe disputé sous la surveillance d'un arbitre et selon les règlements du marquis de Queensbury. Tous les coups sont permis dans la bataille de rue, et celui qui gagne est souvent celui qui frappe le premier et le plus fort, sans laisser de chance à l'autre. De plus, quand on est comme dans les vues de cowboys *The fastest gun in the west*, et que tout un chacun veut vous essayer pour se faire une réputation à vos dépens, il faut pas donner à l'adversaire une chance de se reprendre, de se relever. Il faut lui enlever pour toujours l'envie de recommencer, et c'est en le brutalisant qu'on y parvient. C'est une jungle, le monde est fait comme ça, je n'y pouvais rien, et tant pis pour le gars qui m'écoeurait.

La bataille dont parle Roger Drolet s'est passée au Malborough Hotel de Winnipeg, où nous luttions par équipe, mon frère Paul et moi. Nous étions même alors, en 1969, les champions du monde par équipe. Ce soir-là, après un combat, nous étions au bar de l'hôtel à prendre quelques coups de Canadian Club pour relaxer, ou pour décompresser, comme on dit à la mode d'aujourd'hui. Nous étions assis dans un coin du bar, à une table qui se trouvait tout près de deux grandes portes vitrées, qui donnaient sur le hall d'entrée de l'hôtel. Il y avait d'autres lutteurs au bar, certains assis sur de hauts tabourets, dont un nommé Dick Buyers qui luttait masqué et qu'on avait surnommé *The Destroyer*.

À un moment donné, Dick Buyers se lève et se rend dans le lobby de l'hôtel pour faire un téléphone. Là trois jeunes frais l'accostent, ils se mettent à lui baver dans la face, et Buyers se choque et donne une bonne claque au plus barbeux des trois. Le type est tombé par terre, il semble sans connaissance, et ses *deux* chums sont en train de s'occuper de lui quand arrive dans le *lobby* un nommé Tex Burns, avec deux amis. Tex Burns, il faut le dire ici, c'est la terreur de Winnipeg, une vraie armoire à glace, un gars tellement fort que même les policiers ont peur de lui.

Pendant tout ce temps-là, notre ami Dick Buyers est revenu s'asseoir à notre table. Le Tex Burns demande aux jeunes qui a fait cela à leur ami, qui est toujours par terre. Les jeunes lui répondent que c'est l'un des lutteurs qui prennent un coup au bar. Voilà donc que Tex Burns arrive comme une balle dans le bar, il ne nous voit pas car nous sommes assis dans le coin. Il hurle aux lutteurs qui sont assis sur les tabourets: «Qui c'est le tabarnouche qui a fait cela?»

Au lieu de ne rien dire, l'un des lutteurs pointe notre table du doigt. Le Tex Burns se précipite vers nous, et veut s'en prendre à moi plutôt qu'à mon frère Paul ou Dick Buyers qui a donné la claque au jeune voyou. «Vous autres, maudits lutteurs, vous venez ici faire vos frais et maganer notre monde!», crie Tex Burns. Mon frère Paul me dit qu'on ferait mieux de quitter le bar et d'aller nous reposer dans nos chambres. Nous nous levons de table, et comme j'allais sortir Tex Burns m'atteint d'une mautadite de bonne droite à la face.

Moi, instinctivement, je lui plonge dans les jambes, et en même temps, je me cogne la tête contre la grande porte vitrée. Je me suis coupé profondément, mon sang ruisselle sur tout mon visage, mais je pogne Tex Burns à bras-le-corps et je le garroche direct dans le *lobby* de l'hôtel. Une fois que je l'ai bien par terre, je lui donne un coup de pied dans la face et deux autres dans le ventre.

Pendant ce temps-là, Paul m'a suivi, il guette les deux *chums* de Tex Burns pour pas qu'ils me sautent dessus, et me crie que je dois arrêter ça, car je vais le tuer. Je suis fou de rage et je frappe et je frappe, le gros *tough* de Tex Burns est là qui appelle sa mère: «Mother! mother!», qu'il fait. Alors je lui entre le doigt dans l'oeil, jusqu'au fond, lui arrachant presque l'oeil de la tête. Les gens de la rue étaient entrés dans l'hôtel pour assister à la bataille. Pour éviter une émeute, car il y en a qui s'excitent et veulent aussi se battre, j'ai finalement lâché Tex Burns et suis retourné dans ma chambre avec mon frère Paul.

Mais le sang n'arrêtait pas de couler de ma blessure à la tête. Alors Paul a fait venir le docteur de la commission athlétique, qui m'a cousu la blessure à la tête sans anesthésie. Cette histoire aurait pu mal finir pour moi, car Tex Burns m'avait actionné en cour, alors que je luttais à Minneapolis. Une fois revenu à Winnipeg pour un combat, voilà-t'y pas que deux policiers s'amènent dans le vestiaire avec un mandat d'arrestation. L'un des policiers me dit: «C'est Burns, n'est-ce pas qui a frappé le premier?» – «Bien sûr!» que je réponds. Alors le policier a déchiré le mandat d'arrestation, et m'a remercié d'avoir donné une volée à ce Tex Burns, qui écoeurait tout le monde à Winnipeg depuis des années.

CHAPITRE 34

Le Grand Antonio pensait que j'avais été assassiné

Depuis des années qu'il attache des chaînes aux autobus et qu'il les traîne, qui ne connaît pas le Grand Antonio avec ses grosses bottines et sa longue chevelure à faire peur aux enfants?

Le Grand Antonio se situe dans mon histoire au moment où mon frère Paul et moi luttions par équipe dans l'Ouest canadien. Nous nous étions costumés en bûcherons du Québec, la chemise à carreaux, la tuque, les grosses bottines, et tout le *bataclan*. Ai-je besoin de vous dire que nous étions les vilains *french pea soup* dans l'Ouest canadien, et qu'on nous haïssait à mort parce que nous maganions épouvantablement les frères George et Sandy Scott, qui étaient bien entendu les héros de la place.

Un soir, Stewart, le promoteur, et ancien lutteur lui-même, s'était mis de la partie et avait sauté tout habillé dans l'arène pour venir au secours des frères Scott.

Sur les entrefaites, je reçois un coup de téléphone du Grand Antonio. Il est seul à Hollywood, il n'a pas une cenne noire, et il me demande de lui avancer cent piastres pour prendre l'autobus et venir nous rejoindre. Aussitôt une idée me vient à l'esprit. Puisque le promoteur Stewart s'est mis du côté des frères Scott pour nous battre à trois contre deux, pourquoi ne ferions-nous pas venir notre *mononcle* Antonio du fin fond des forêts du Québec?

Le *mononcle* Antonio et ses deux neveux, contre les frères Scott et le promoteur Stewart, une publicité formidable, non? Paul et moi, à la radio, à la télévision, nous vantions la force phénoménale de notre *mononcle* Antonio, l'homme le plus grand de la forêt, et nous disions au monde qu'on allait en faire arracher aux frères Scott et au promoteur Stewart.

Cette publicité marchait à mort, les gens nous haïssaient plus que jamais, et de leur côté les frères Scott et le promoteur jetaient de l'huile sur le feu en racontant la bonne volée qu'ils allaient donner aux trois *french pea soup*. Personne ne parlait plus d'autre chose à Calgary.

Hélas, le Grand Antonio n'a pas joué le jeu et dès son arrivée à Calgary il se met à tirer ses autobus au lieu de nous rencontrer et de respecter le scénario. Je suis en beau tabarnouche, et je lui promets un chien de ma chienne lors d'un grand combat royal qui nous opposera à lui. Nous sommes à peu près 25 dans l'arène, et à un moment donné nous tombons tous ensemble sur le Grand Antonio qui criait au meurtre. On était tous sur lui, on l'étouffait à qui mieux mieux, et le Grand Antonio avait la bedaine à l'air et ses culottes descendues jusqu'aux genoux.

Il était enragé dur mais il ne pouvait rien faire. Moi, j'en ai profité pour lui payer la traite comme ce n'est pas permis... Pourtant, je n'étais pas satisfait, la leçon n'avait pas été assez dure pour lui. Alors mon frère Paul, un ami à nous, Dave Rurl, et moi, nous décidons de monter un tour au Grand Antonio.

Notre ami Dave Rurl pouvait imiter à merveille une voix de femme. Il téléphone au Grand Antonio, et lui dit d'une voix enjôleuse: «Grand Antonio, mon nom est Mable, et tu es l'homme de ma vie. J'aime les gros hommes forts comme toi, tu me rends folle de désir, et je veux faire l'amour avec toi. Le seul problème, c'est mon mari, qui est tellement jaloux. Mais ne t'inquiète pas, mon Grand Antonio chéri, ta Mable va arranger tout cela. Mon mari, il est chauffeur d'autobus, tu comprends, et quand il sera à l'extérieur de la ville, moi et deux de mes amies de fille nous ferons un gros party. Tout ce que tu auras à faire, c'est d'apporter un quarante onces d'alcool, et emmener Dave Rurl et Maurice Vachon avec toi. T'as pas idée du plaisir que nous allons avoir.»

Le Grand Antonio essaie alors de nous faire passer une petite vite. Il dit à notre Mable qu'il est un mâle extraordinaire et qu'il peut prendre trois femmes, elle, Mable, et ses deux amies de fille, tout seul. Mais Mable ne veut rien savoir de cela. Elle lui dit qu'elle l'aime tellement qu'elle le veut pour elle toute seule. Puis elle dit au Grand Antonio d'attendre son coup de téléphone.

Le Grand Antonio, il est bien obligé de nous appeler, et nous partons en voiture, avec lui, Dave Rurl et moi, en début de soirée. C'est Dave Rurl qui conduit, et nous roulons un bon bout de temps.

Nous sommes à environ quinze milles de la ville quand nous apercevons dans un champ une maison à moitié construite. Il y a une lumière allumée dans la cave, et c'est impressionnant dans la grande noirceur. Alors Dave Rurl dit: «C'est ici qu'elle habite, Mable. Il ne faut pas faire de bruit. Allons-y.» Nous sommes à une trentaine de pieds de la maison quand un homme en sort avec un revolver. Il crie: «Ah! mes maudits tabarnouches, vous êtes venus pour fourrer ma femme, hein? Je vais vous tuer, moi!»

Alors il abaisse son revolver et il me tire, moi. Je tombe raide «mort» à côté du Grand Antonio! Il ne court pas vite, le Grand Antonio, vu sa corpulence, mais il est déjà rendu à deux milles de là dès qu'il m'a vu tomber *drette* mort à côté de lui. Nous autres, Dave, Rurl et moi, puis mon frère Paul qui jouait le rôle du mari, on se tord de rire. Puis, on revient à Calgary.

Imaginez-vous dans quel pétrin se trouve le Grand Antonio! Tout seul dans la noirceur, en plein champ désert, et il n'a pas de *char*... Les heures passent. Enfin le Grand Antonio téléphone, d'abord à ma femme Dorothée, puis chez Dave Rurl. Ma femme dit au Grand Antonio qu'elle ne sait pas où je me trouve et qu'elle va m'étriper si elle apprend que je suis allé aux femmes. Dave Rurl, lui, y répond d'une voix triste que Paul est allé à la morgue pour identifier mon corps et que la police est à la recherche du coupable et qu'il ferait mieux de dire toute la vérité.

Mais le Grand Antonio est mort de peur, car il craint le mari de Mable, qui pourrait bien le tuer à son tour. Finalement, il se rend à la police, raconte toute l'histoire, et supplie la police de le protéger. Les policiers l'ont mis dans une cellule, parce qu'ils étaient au courant du tour qu'on lui avait joué et eux aussi voulaient rire un peu...

Ce tour-là est devenu un dicton dans le monde de la lutte professionnelle: «passer un Mable à quelqu'un...». Si jamais vous avez l'occasion de parler au Grand Antonio, demandez-lui donc de vous conter sa belle aventure amoureuse avec Mable...

CHAPITRE 35

Oui, je suis très nationaliste

J'avais découvert les problèmes des Franco-Ontariens lorsque j'ai lutté dans le nord de l'Ontario, mais c'est surtout dans l'Ouest canadien, à Saint-Boniface tout particulièrement que s'est affirmé mon nationalisme en tant que francophone. Je n'ai jamais eu peur de le dire, je suis Québécois d'abord, Canadien ensuite. Et je crois depuis toujours qu'on peut être l'un et l'autre sans trahir personne.

Il y a une chose que je veux absolument dire, c'est qu'il faut qu'on arrête de toujours blâmer tout le monde pour tous nos malheurs: les maudits Anglais, les maudits juifs, les maudits immigrés. Comme l'a dit Lévesque: Arrêtons d'être un peuple de *chiqueux* de guenilles, tenons-nous debout, et battons-nous pour nos droits! Qui a dit que nous étions les «nègres blancs d'Amérique»? C'est vrai, mais c'était surtout vrai dans le passé.

Pendant trois cents ans on s'est fait manger la laine sur le dos, mais c'est fini, maintenant: rien nous empêche de faire nos lois qui protègent nos intérêts et nos droits. Quand on me demande si je suis pour l'indépendance du Québec, je réponds oui gros comme le bras. Je suis pour l'indépendance du Québec, mais pas pour le séparatisme. L'indépendance nous est assurée par les lois que l'on peut passer. De l'autre côté, le Canada nous appartient autant qu'aux autres, et on serait bien fous de leur laisser.

Bien sûr que ce n'est pas facile, ce problème-là. Il faudra que disparaissent bien des préjugés, et bien des fanatismes. Tenez, un exemple. Un jour, je reviens à Montréal de Chicago en avion et j'occupe un siège du côté de l'allée. L'homme à côté de moi, près du hublot, était Anglais et nous parlions je ne me souviens plus trop de quoi dans cette langue.

Pas loin, dans la même rangée, il y avait une femme qui nous écoutait. À un moment donné elle me dit:

«You are a French Canadian, aren't you?»

«Yes, madam, I am!...» je lui réponds poliment. Elle me demande alors comment il se fait que je m'exprime aussi bien en anglais. Je lui réponds que c'est bien simple, que mon père et ma mère étaient Franco-Ontariens, et que bien jeune à Ville Émard j'avais des amis anglophones et que j'avais vite appris l'anglais.

Elle me répondit, sèchement, que ce n'était pas vrai, ce que je venais de lui dire. Elle me dit que la vérité, c'est que j'avais dû apprendre à parler l'anglais pour pouvoir gagner ma vie, que j'avais été obligé de le faire.

Je lui ai alors demandé depuis combien d'années elle vivait au Canada. Elle m'a répondu: 40 ans. «Et vous ne parlez pas français?» je lui demande. «Non, elle me répond, absolument pas!» Alors je lui ai dit:

«Madame, je vais vous dire seulement une chose. Si ça faisait 40 ans que je vivais en Chine,

CHAPITRE 36

L'amour, mes femmes, mes divorces

Je ne vous cacherai rien, j'ai longuement hésité avant d'aborder ce chapitre au sujet de l'importance de l'amour dans la vie, de mes mariages, de mes divorces.

Comme Roger Drolet l'a souligné dans son témoignage, je suis l'homme d'une seule femme, et je n'ai jamais été le genre de gars qui se met à courailler à gauche et à droite dès qu'il voit une belle femme passer. Je ne dis pas cela aujourd'hui pour me vanter, pour avoir l'air d'un saint, mais c'est vrai que les lutteurs sont particulièrement soumis à la tentation, comme on dit dans le petit catéchisme, car les femmes se pâment facilement autour des lutteurs.

L'amour dans la vie, ce n'est pas important pour moi, c'est essentiel. J'ai eu la chance extraordinaire de grandir dans l'amour, moi, avec des parents qui m'adoraient, qui me faisaient des caresses, et avec des frères et des soeurs qui formaient une famille heureuse et unie. Je devrais, pour tout dire, ajouter à la famille notre chien Mickey, car il était comme un vrai parent à nos yeux, et nous l'aimions beaucoup.

Quand on vieillit, quand la vie vous a fait traverser toutes sortes d'épreuves, c'est du moins mon cas, les choses importantes se détachent clairement des choses secondaires. L'argent, un nouveau char chaque année, une grosse maison, tout ça passe au deuxième rang. Tout ça, ça change avec les années, et ça se remplace. Mais l'amour de ses parents et de sa famille, et l'amour dans le mariage, voilà des choses qui restent et qui ne se retrouvent plus jamais si vous avez eu le malheur de les perdre en cours de route.

Et pourtant, me direz-vous, je me suis marié trois fois et j'ai divorcé deux fois. Comment expliquer cette contradiction? N'allez pas vous imaginer que je ne me suis jamais posé de questions. Même aujourd'hui, alors que je suis très heureux avec ma troisième femme Kathie, même aujourd'hui je pense à Dorothée et à Nicole, mes deux premières femmes, et j'ai de la peine de ce qui s'est passé entre nous.

Il y a quelques années, j'avais tendance à penser que c'était tout de leur faute, à elles, et que moi j'étais parfait, pas coupable pour une cenne. Puis en réfléchissant, je me suis mis dans leur peau, et j'ai compris que le grand coupable était mon métier de lutteur. Ici, aujourd'hui, ailleurs, le lendemain, jamais vraiment à la maison, au foyer, ce n'est pas une vie normale, et ce n'est sûrement pas une vie pour une femme qui aime son homme et qui veut l'avoir pour elle à la maison.

Il y a aussi un autre facteur qui entre en compte: l'insécurité financière dans laquelle vit la famille d'un lutteur professionnel. Il n'y a pas de convention collective dans la lutte professionnelle, vous n'êtes jamais chromé mur à mur quant à vos revenus, et si vous faites cent piastres ce soir à Winnipeg, rien ne vous garantit que vous en ferez cent autres demain à Minneapolis. La preuve de cela, c'est que j'ai dû aller travailler dans les mines d'or du nord de l'Alberta, une vraie Sibérie, parce que je ne trouvais plus de travail dans les arènes de la lutte professionnelle.

Je ne me plains pas, je n'essaye pas de jouer au martyr, personne m'a forcé à faire de la lutte professionnelle, mais je comprends aujourd'hui ce qu'ont pu ressentir mes femmes Dorothée et Nicole, toutes seules avec les enfants à la maison.

Il y a aussi autre chose, dont je dois plaider coupable. Le soir, après mon combat, j'allais prendre un petit coup avec les *chums*, pour me détendre, au lieu de rentrer prestement chez moi auprès de ma femme. Qu'est-ce qu'elle devait endurer, elle, quand je faisais cela? Comment pouvait-elle s'empêcher de penser qu'elle n'avait aucune importance dans ma vie? C'est aujourd'hui que je me rends compte de tout cela, comme c'est aujourd'hui que je comprends les causes de mes divorces.

Mon premier mariage, avec Dorothée, s'est brisé de façon lamentable. Au retour d'un combat de lutte à Québec, en voiture en compagnie de Larry Moquin et d'un autre lutteur qui conduisait, nous avons eu un accident terrible. Moi, je m'étais retrouvé sur le bord de la route avec le bassin fracturé, et je souffrais le martyre en attendant l'ambulance. On m'a finalement transporté dans un hôpital de Québec, et c'est là seulement que j'ai pu téléphoner à ma femme pour lui expliquer mon retard.

Savez-vous ce qu'elle m'a répondu, au téléphone? Elle m'a dit: «Puisque tu es à l'hôpital, profites-en donc pour te faire examiner la tête!» Longtemps je lui en ai voulu de ces mots-là, de cette méchanceté. Mais aujourd'hui, je comprends sa décision, et je ne lui en veux plus. Je comprends aussi que comme mari et père je n'ai jamais été un cadeau. Si c'est cela qu'on appelle acquérir de l'expérience et apprendre des leçons de la vie, disons que je suis allé à une bien pénible école.

CHAPITRE 37

Le suicide de Yukon Eric

Celui qui a suivi la lutte professionnelle ne peut pas ne pas se rappeler de Yukon Eric, l'un des premiers mastodontes de l'ère moderne. Combien de fois l'a-t-on vu lutter au Forum de Montréal et l'a-t-on acclamé? C'était un chic type, un homme très doux, que j'ai appris à connaître surtout en Floride quand je faisais équipe avec lui.

Le plus drôle, c'est qu'il ne venait pas du Yukon mais du Nebraska. Je l'ai vu lutter pour la première fois à Detroit contre un autre mastodonte amanché *épouvantable*, du nom de Chef Bernard, une bataille de *beûx*, l'un cédant pas un pouce à l'autre dans le corps à corps. À un moment donné, Yukon Eric avait projeté le Chef Bernard, qui avait rebondi au centre de l'arène, de toute sa force, de tout son poids, contre la poitrine d'Eric, et Eric n'avait même pas bougé. Tout un homme, ce Yukon Eric. Et quel garçon gentil.

Son combat le plus mémorable, il l'a livré au Forum de Montréal, en grande finale, contre Vladek Killer Kowalski, dont tout le monde se souvient, bien entendu. Ça avait été une bataille épouvantable, la force phénoménale de Eric contre l'incroyable brutalité de Kowalski, qu'on n'avait pas surnommé *Killer* pour rien. La tactique de

Kowalski, c'était de frapper comme un sourd sur une partie du corps de son adversaire, pour lui faire mal, pour le vider de sa force.

Puis au moment attendu, il s'attaquait à la tête de l'adversaire, à coups d'avant-bras et à coups de poing, puis à coups de pied quand son adversaire est au tapis. Quand il l'avait suffisamment étourdi, puis assommé, il montait alors dans l'un des coins sur le câble supérieur, et de là se laissait tomber le genou sur la tête de son adversaire, qui n'avait plus la force de se défendre. Alors, Kowalski lui collait les épaules au tapis.

C'est exactement ce qu'il avait fait à Yukon Eric. Sauf, qu'en tombant sur lui, son genou avait coincé l'oreille d'Eric. L'oreille était allée revoler au centre de l'arène, toute en sang. L'arbitre Sammy Mack ne s'en était pas rendu compte sur le coup. Il a laissé se poursuivre le combat quelques minutes encore, alors que Yukon Eric, tibulant comme un ivrogne dans l'arène, se tenait la tête et que le sang se répandait sur tout son visage et son corps.

Finalement, l'arbitre Sammy Mack avait ramassé l'oreille de Yukon Eric, pensant que c'était un objet lancé dans l'arène par un spectateur, et l'a mise dans sa poche. Puis, comme si la vérité l'avait frappé tout d'un coup, il l'a ressortie de sa poche en devenant blanc comme un drap. C'est alors et alors seulement, qu'il mit fin au combat.

D'où est venue à Killer Kowalski la réputation du gars qui arrachait l'oreille à ses adversaires. Yukon Eric, pour sa part, poursuivit sa carrière. Mais les gens du milieu de la lutte professionnelle sentaient bien que, depuis, Yukon Eric n'était plus le même homme affable, avec un sourire gentil pour tout le monde.

Il luttait, mais comme un automate, le coeur n'y était plus. Les fois que je lui ai parlé par la suite, il était triste, il semblait découragé, déprimé, mais n'en parlait à personne. Quelqu'un m'a dit, un peu plus tard, que la femme de Yukon Eric l'avait laissé et qu'il était inconsolable. Ça devait être comme pour Dorothée, ma première femme. Elle devait avoir son voyage d'être toujours toute seule à la maison.

En tout cas, un jour, j'ai appris la mort de Yukon Eric. Il s'était embarré dans sa chambre d'hôtel pendant plusieurs jours et ne voulait voir personne. Puis les gens de l'hôtel ont entendu un coup de feu. Ils défoncèrent la porte et trouvèrent Yukon Eric étendu de travers sur son lit. Il s'était tiré une balle dans la tête.

CHAPITRE 38

Une carrière de 13 000 combats

Je me suis amusé un jour à calculer combien de combats j'avais livrés durant ma carrière professionnelle, et j'en suis venu au compte de 13 000! Je livrais en fait 300 combats par année, et il m'arrivait des fois d'en faire deux le même jour, un l'après-midi, le deuxième, le soir. Ça fait que j'ai livré environ 13 000 combats en quarante-quatre ans de carrière. C'est donc pas surprenant que mes genoux soient devenus en bouillie, que mon épine dorsale me fasse mal, même aujourd'hui.

Un exemple, pour vous montrer ce que ces combats font subir au système. C'était à mes débuts, et je luttais dans ces temps-là souvent dans une salle à Saint-Henri. Un soir, donc, je paquetais ma valise pour aller me battre. L'un de mes oncles m'a dit: «Mais où tu t'en vas, comment ça?» Mon oncle me regardait avec des gros yeux ronds. Puis il m'a dit: «Maurice, c'était hier soir, ton combat. Tu ne t'en souviens pas?»

Je ne m'en souvenais effectivement pas. La veille, j'étais tombé sur la tête sur le tapis. J'avais subi une commotion cérébrale. C'est pour vous montrer que notre corps se magane à force de recevoir des coups. Avez-vous déjà pensé à ce qu'un lutteur peut ressentir quand un gars comme Hulk

Hogan ou le géant Ferré vous soulève du haut de ses bras et vous rabat sur le plancher de toutes ses forces? Il faut être en vinyenne de bonne forme physique pour survivre longtemps à ce régime-là.

13 000 combats, pensez-y, un moment. C'est la raison pour laquelle j'ai de la difficulté à dire quel a été mon plus grand combat quand on me pose la question. Ce que je veux dire, c'est que de tous ces combats je me souviens particulièrement de quatre ou cinq, et je ne pourrais pas les mettre par ordre d'importance.

Il y a eu mon combat pour le championnat du monde avec Vern Gagne. Il y a eu un combat extrêmement rude avec Crusher Risowski. Il y a eu un combat épouvantable avec Wild Bill Curry. Et il y a eu enfin mon combat au parc Jarry avec Vladek Killer Kowalski.

Mon combat avec Vern Gagne a eu lieu à Minneapolis, dans l'état du Minnesota. Vern Gagne était alors champion du monde depuis sept ans, championnat reconnu par l'American Wrestling Association. Au plan technique de la lutte, je pense que c'est le plus beau combat que j'aie livré de toute ma carrière. Quel beau lutteur que ce Vern Gagne! Il avait un répertoire de prises plus belles les unes que les autres, et c'était une beauté que de le voir lutter.

Comparé à lui – et c'est ce qu'écrivaient les journaux – j'étais une bête sauvage, une brute. Peu importe, je l'ai tellement étourdi et j'étais si rapide que j'ai gagné le combat et le titre de champion du monde. Ça a fait une véritable révolution aux États-

Unis, car Vern Gagne était l'idole des foules, partout où il allait.

Les autorités de l'American Wrestling Association ont donc décidé qu'il y aurait un match revanche à Minneapolis entre Vern Gagne et moi. À la télévision, je criais au vol, je disais que Vern Gagne avait des connections et qu'il ferait même intervenir la Maison-Blanche en sa faveur pour regagner son titre. C'est un peu ce qui est arrivé. Laissez-moi vous conter l'histoire.

Comme lors du premier combat, j'ai rudoyé Vern Gagne en partant, ne lui laissant jamais la chance d'appliquer l'une de ces célèbres prises. Puis, à un moment donné, je l'ai garroché pardessus le troisième câble, et il s'est écrasé sur une table qui était près de l'arène. L'arbitre m'a aussitôt disqualifié, et a remis la ceinture du championnat du monde à Vern Gagne. Je criais à tue-tête que c'était une injustice, car il y a un règlement de l'American Wrestling Association qui stipule bien clairement que le champion ne peut perdre son titre par disqualification.

Le lendemain, après avoir fait une émission à la télévision, qu'est-ce que je rencontre dans le couloir? Hubert Humphrey, le vice-président des États-Unis. Alors je dis aux journalistes qui entouraient Humphrey. «Vous voyez que j'avais bien raison d'accuser Vern Gagne d'aller jusqu'à la Maison-Blanche pour ravoir son titre. Le vice-président des États-Unis lui-même est venu plaider en sa faveur.»

Tout le monde riait. Hubert Humphrey aussi. il m'a serré la main. Et il m'a dit: «Mad Dog, je vous connais de réputation depuis longtemps. Quant à votre disqualification, elle vous apprendra qu'on a pas le droit de malmener un bon citoyen américain...»

Je riais moi-même de bon coeur. Je savais que Vern Gagne était un homme juste, et que jamais il aurait intrigué pour reprendre son titre. Ce qui est certain, c'est que cet épisode est demeuré pour toujours gravé dans ma mémoire.

CHAPITRE 39

Des bains de sang
avec Crusher Lisowski

C'était tout un homme, Reggie *The Crusher* Lisowski. Un peu moins de six pieds, 250 livres, des épaules énormes, des bras plus gros que ma tête. Au point de vue rudesse, j'étais un enfant de choeur par comparaison, comme j'allais bientôt l'apprendre à mes dépens.

Le combat s'est déroulé dans un studio de télévision à Minneapolis. Minneapolis, avec ses deux cents lacs environ, est une ville merveilleuse. Mais il n'y a rien de merveilleux ni de romantique dans mon combat. Selon le dicton, Lisowski m'a fait goûter à ma propre médecine en s'emparant de l'initiative de la bataille dès le son de la cloche. Ses coups de masse me pleuvaient dessus de tous les bords et de tous les côtés, je n'en voyais plus clair, tant j'étais étourdi.

C'est la raison pour laquelle je n'ai jamais vu venir son coup de poing, un crochet à la mâchoire qui me garrocha direct à travers les câbles. Je tombai tête première sur la table en fer du chronométreur officiel. J'étais à moitié assommé, et d'une blessure à la tête, le sang pissait à en faire peur.

Je n'ai jamais eu la chance de rallier mes forces et de retrouver mon aplomb dans ce combat. Le

Crusher avait sauté à l'extérieur de l'arène et me cognait et me recognait la tête sur la table de fer.

C'est Paul, mon frère, qui est venu à mon aide. «Il faut le transporter d'urgence à l'hôpital!», criait-il aux officiels. On m'a alors mis dans une voiture de la police, qui devint vite toute rouge de mon sang. J'étais tellement coupé en profondeur que mes deux mains et celles de Paul sur ma tête ne parvenaient pas à ralentir un brin le flot de sang qui giclait de ma tête. Qu'on vienne pas maintenant me parler de ketchup dans la face! À l'hôpital, le médecin a dû me faire vingt-deux points de suture, c'est pour vous dire.

Le médecin qui m'a cousu, il n'en revenait pas que j'aie encore ma connaissance après avoir perdu tant de sang.

J'ai lutté plusieurs fois le Crusher, et chaque fois c'était une bataille épouvantable. On était comme deux boeufs, au centre de l'arène, qui était toute rouge de notre sang. On se frappait comme des sourds et c'était qui ne céderait pas un pouce à l'autre. Des vraies boucheries. Les journaux ne parlaient que de nos batailles à pleines pages, avec de grosses photos.

Il avait toute une histoire, Crusher Lisowski. Il disait qu'il avait été élevé dans le bar de son père, à Milwaukee, et qu'à l'âge de sept ou huit ans il garrochait des gars trop saouls dehors. En dehors de l'arène, je ne l'ai jamais vu sans un cigare dans le bec.

Un gars *tough* en mautadit, croyez-moi sur parole. Un gars comme je les aime...

CHAPITRE 40

Ma bataille de rue
avec *Wild Bull* Curry

Si je portais mon surnom de *Mad Dog* dans l'arène de lutte, Bill Curry, lui méritait parfaitement son surnom de *Wild Bull*. Il avait des cheveux crépus qui lui descendaient bas sur le front, et des sourcils noirs extraordinairement longs et touffus. Oui, un vrai *beu*, autant au physique qu'au mental.

Nous nous sommes battus au Palais des sports dans l'est de la ville de Montréal. À bien y penser, ce combat-là aurait pu être organisé dans la rue que ça n'aurait pas fait une grande différence. Dès le son de la cloche, nous nous sommes retrouvés en bas de l'arène, tout près des 3 000 personnes qui étaient présentes. Je pense que lui et moi nous nous sommes jamais appliqué une seule vraie prise de lutte. C'était une véritable bataille de rue comme j'en avais connu du temps du Beaver et du Havana. Des coups de poing, des coups de pied.

Du bas de l'arène la bataille s'est transportée dans les gradins. Puis on s'est retrouvés dans la rue Poupart, où les spectateurs nous avaient suivis dans une mêlée indescriptible.

Mais attendez, ce n'est pas fini. À force de nous garrocher et de nous culbuter sans bon sens, nous avons défoncé la porte d'une maison privée, et nous nous sommes battus dans le portique.

Puis on a entendu les sirènes des voitures de la police. Wild Bull s'était barricadé dans la maison privée et ne voulait pas en sortir. La rue, les trottoirs étaient noirs de monde. Il y avait aussi du monde à toutes les fenêtres. C'était comme une émeute, une révolution.

Moi sur le trottoir, je m'époumonais à crier à Wild Bull Curry de sortir de la maison et de venir se battre comme un homme. Rien à faire. Il se sentait en sécurité dans la maison et il ne voulait pas en sortir.

Finalement, les policiers ont dû entrer et l'arrêter à l'intérieur. Il avait les yeux sortis de la tête, un vrai fou. Quand les policiers ont enfin pu le maîtriser et le mettre dans leur voiture, la foule a essayé de revirer l'auto à l'envers.

J'en ai vu des scènes épouvantables dans ma vie de lutteur, mais pareille à ça, jamais, au grand jamais!

CHAPITRE 41

29 000 personnes pour voir mon combat avec Vladek *Killer* Kowalski

C'était un homme étrange, Vladek Killer Kowalski. Il ne buvait pas, il ne fumait pas, il ne mangeait pas de viande. Un solitaire, qui avait toujours l'air d'être ailleurs, de ne pas voir ce qui se passait autour de lui. Il ne se mêlait pas aux autres. Pas parce qu'il se prenait pour un autre, jamais de la vie, mais il était comme ça, une bête fauve farouche qui rôde seule dans la jungle.

Ce que je peux vous dire, c'est qu'il était un fauve dans l'arène de lutte aussi. En partant il attaquait comme une bête furieuse et essayait de vous assommer de coups. Des fois, la cloche n'avait pas encore sonné qu'il était déjà en train de vous rouer de coups. Une fois qu'il vous avait à sa merci, il montait sur le troisième câble et vous donnait le coup de grâce avec son genou sur la tête. C'est comme ça, vous vous souvenez, qu'il a arraché l'oreille à Yukon Eric au Forum.

Quand notre combat a été officiellement annoncé, nous avons reçu lui et moi, une lettre de la commission athlétique de Montréal nous avertissant que nous serions suspendus indéfiniment si on ne respectait pas les règlements à la lettre. Aussi bien dire à deux tigres de se donner des beaux becs!

Moi, à la télévision, j'y étais allé dans un moment de folie d'une déclaration fracassante. «Si je perds mon combat contre Killer Kowalski, avais-je dit, je me suiciderai!»... On en dit des choses, dans la chaleur du moment.

Puis arriva le soir du combat, au parc Jarry. C'était épouvantable de voir tout ce monde arriver. 29 000 personnes, un record canadien dans ce temps-là! Pour une rare fois dans ma carrière de lutteur, j'étais favori de la foule, imaginez!

Durant tout le combat, qui a duré une vingtaine de minutes, si ma mémoire est bonne, la foule est restée debout, tant il y avait de l'action dans l'arène. Kowalski était comme habité du démon. J'avais l'impression qu'il avait des bras et des jambes partout, un vrai tourbillon de coups.

Comment j'ai pu lui tenir tête, je ne parviens pas encore aujourd'hui à le comprendre. Kowalski était peut-être à son déclin, sait-on jamais. Mais à son déclin ou pas, j'ai passé un mautadit de mauvais quart d'heure avec lui dans l'arène. À un moment donné, il m'a passé en série une dizaine de coups d'avant-bras. J'en voyais littéralement des étoiles, j'avais comme des explosions dans ma tête. Ce qui m'a largement aidé, c'était d'entendre la foule crier pour moi. J'en avais besoin, de ces encouragements, car il y avait des moments où j'étais tellement étourdi que je ne savais plus où j'étais, ni ce que je faisais.

Je me souviens de la fin du combat comme à travers un écran de fumée. Kowalski avait plongé tête première sur moi, un *flying tackle*. Je m'étais ôté de là, et il s'est frappé la tête contre un poteau de fer de l'arène. C'est alors que je l'ai collé au tapis.

Quand l'arbitre Omer Marchessault m'a élevé le bras pour me décerner la victoire, je ne le croyais pas encore. Le plus drôle de l'histoire, ça a été la manchette dans l'hebdomadaire Le *Dimanche-Matin*: «Mad Dog Vachon remporte la victoire devant 29 000 personnes et renonce au suicide!».

CHAPITRE 42

Témoignage de Omer Marchessault, ancien lutteur et ancien arbitre

Comment, si j'ai connu Maurice Mad Dog Vachon! J'étais parmi les rares spectateurs qui assistaient à ses combats chez les amateurs au Y.M.C.A.! La plupart du temps je m'assoyais avec le père de Maurice, Ferdinand Vachon, qui agrippait une chaise de ses mains tant il était nerveux de voir son fils lutter.

On pouvait voir au premier coup d'oeil que Maurice serait un grand lutteur, parmi les meilleurs au monde. La volonté, la volonté de vaincre à tout prix. Jamais Maurice ne s'accordait un moment de répit, durant ses combats. C'était attaque, attaque tout le temps, une vraie machine à lutter. Même les amateurs beaucoup plus expérimentés étaient incapables d'arrêter Maurice, une fois qu'il était lancé. Dès qu'il avait mis le grappin sur son adversaire, il ne le lâchait plus.

Il était rapide, vif comme un chat sauvage. Pour vous montrer quel bon lutteur il était, il ne s'est jamais fait coller les épaules aux Jeux olympiques de Londres par des hommes bien plus forts que lui. Il n'avait alors que 18 ans, un bébé dans ce monde de la lutte amateur où les meilleurs au monde ont 29 ans en moyenne. Une autre preuve: le fait qu'à vingt ans seulement il ait gagné la médaille d'or aux Jeux de l'Empire en 1950. Un exploit absolument extraordinaire!

Je suis d'autant plus en mesure de considérer Maurice à sa vraie valeur que j'ai moi-même lutté 19 ans chez les amateurs et chez les professionnels avant de devenir arbitre de la commission athlétique de Montréal. Comme j'étais pompier à la ville de Montréal, je portais un masque et je luttais sous le nom de *Merveille masquée*. J'ai même remporté le championnat du Canada. Je ne dis pas cela pour me vanter, mais pour vous montrer que je connais ça, la lutte.

J'ai été l'arbitre de plusieurs combats de Maurice chez les professionnels, et à l'exception d'un seul combat, avec Vern Gagne, j'ai toujours eu du trouble avec Maurice. C'était tout simplement pas possible de lui faire entendre raison une fois qu'il mettait le pied dans l'arène. Un vrai chien enragé, son surnom lui convenait à merveille. J'avais beau l'avertir, le menacer de disqualification, rien à faire, il me repoussait de la main et il s'acharnait à écoeurer son adversaire avec tous les coups possibles et imaginables.

Je vous le dis, il faisait peur dans l'arène, avec ses crocs et ses yeux petits et mauvais comme ceux d'un fauve. Oui, il y avait des moments où il se mettait à baver, comme un cheval. Il était comme possédé du démon, et plus l'adversaire le frappait, plus il s'enrageait et contre-attaquait plus rudement encore.

J'ai eu la paix une seule fois avec lui, dans son combat avec Vern Gagne. C'était une beauté de voir lutter ces deux-là. Une belle prise n'attendait pas l'autre, et ça a duré comme ça vingt minutes. Je vais vous dire la vérité, on n'avait pas besoin d'un arbitre dans l'arène ce soir-là.

Mais ça a été la seule fois. De tous les combats de Mad Dog Vachon que j'ai arbitrés, deux particulièrement me reviennent à la mémoire, le premier avec Johnny Rougeau à Chicoutimi, le deuxième contre Killer Kowalski au parc Jarry de Montréal.

Il y avait plusieurs combats entre Mad Dog et Johnny Rougeau, et celui-là, au colisée de Chicoutimi rempli à craquer, était un match revanche pour Johnny qui essayait de reprendre le championnat. C'était le monde à l'envers. Mad Dog se battait toujours comme un chien enragé, mais c'était Johnny Rougeau qui ambitionnait sur le pain béni en y allant de toutes sortes de coups illégaux. Il a tellement exagéré, le beau Johnny, que j'ai finalement dû le disqualifier et accorder la victoire à Mad Dog.

Vous auriez dû voir la foule. Une foule furieuse, qui me montrait le poing et qui m'insultait de tous les noms possibles et imaginables. Mad Dog, lui, avait regagné le vestiaire. Moi, j'étais pris dans l'arène au milieu de cette foule d'enragés avec mon Johnny Rougeau qui m'avait accroché par ma chemise d'une main et me menaçait de l'autre. Johnny criait à la foule, «M'as-tu le frapper?» La foule hurlait «Oui, de toutes tes forces frappe-le, l'écoeurant!» et mon Johnny qui n'arrêtait pas de monter la foule contre moi.

Pendant ce temps-là les spectateurs avaient commencé à monter dans l'arène, et pendant qu'ils s'en prenaient à moi, le beau Johnny en a profité pour disparaître, me laissant seul avec des spectateurs qui me frappaient dessus de tous bords et de tous côtés.

J'ai finalement réussi à me dégager, et je suis allé me cacher sous l'arène, là où je ne risquais pas, au moins, de recevoir une bouteille sur la tête. C'est là que les policiers sont arrivés pour me sortir du pétrin. Je ne pourrai jamais l'oublier, cette soirée-là à Chicoutimi!

J'en arrive maintenant au fameux combat Mad Dog Vachon contre Vladek Killer Kowalski, et je ne vous cacherai pas que j'étais dans mes petits souliers avec ces deux-là et une foule évaluée à 29 127 personnes exactement, un record. La franche vérité, c'est qu'il n'y avait pas besoin d'un arbitre ce soir-là, mais d'un dompteur de bêtes sauvages. C'était comme si je n'étais pas là dans l'arène. J'avais beau réprimander l'un ou l'autre, les avertir, les menacer de disqualification, rien à faire, Mad Dog et Kowalski se livraient une vraie bataille de rue, coup de poing par ci, coups de pied par là. Je pense qu'ils ne se sont pas appliqué une seule prise de lutte durant tout leur combat.

Au début, c'est Kowalski qui a pris l'avantage, et je me demandais comment Mad Dog pouvait encaisser des coups pareils sans perdre connaissance. Il était épouvantable dans une arène Kowalski. Il ne cessait jamais de frapper, de pousser Mad Dog dans un coin, et quand Maurice tombait par terre, c'était effrayant les coups de pied au ventre et les coups de pied dans la face qu'il recevait.

C'est ce soir-là que Mad Dog était vraiment le champion du monde des durs de durs. Il s'accrochait au maillot de Kowalski, il se redressait, et c'était alors une série de coups de poing au visage que Mad Dog donnait à son tour à Kowalski. Je voyais bien, moi, que Maurice était tout étourdi, knock-out sur ses pieds, mais il frappait toujours et encore. Il y avait vraiment du chien enragé dans Maurice ce soir-là. Autrement, il ne s'en serait pas sorti vivant. Vous auriez dû entendre la foule, constamment debout.

Kowalski s'est finalement cogné la tête bien dur sur un poteau et là Maurice ne l'a plus lâché. Kowalski était presque sans connaissance, par terre, et Maurice l'aurait frappé avec les poteaux, si ça avait été possible.

Quand il a vraiment eu Kowalski à sa merci, Maurice lui a collé les épaules au tapis, et j'ai compté jusqu'aux trois secondes officielles, bien content que ce carnage-là soit fini!

CHAPITRE 43

Les pionniers de la lutte professionnelle

Je n'aime pas comparer la lutte professionnelle de mes débuts avec la lutte d'aujourd'hui. Ça serait comme comparer Mohammed Ali à John L. Sullivan ou Gentleman Jim Corbett, aussi bien dire le jour et la nuit. Les lutteurs d'autrefois portaient ce qui ressemble aux maillots de bain de nos grands-pères. Ils luttaient surtout au tapis, des prises savantes, des prises compliquées, pas tellement d'action, que de ruse et d'habileté. Ils ne se servaient pas autant des câbles que les lutteurs d'aujourd'hui.

Même l'organisation de la lutte était différente. L'Amérique du Nord était subdivisée en plusieurs régions que dirigeaient personnellement des promoteurs qui avaient plus ou moins le sens du marketing. Ces régions pouvaient aussi se subdiviser encore en de plus petits territoires, où les lutteurs débutants apprenaient leur métier avant d'accéder à la grosse arène et la grosse argent de la région. À Montréal, pour vous donner un exemple, ce fut longtemps le promoteur Eddie Quinn qui dirigea non seulement le Québec, mais aussi une partie de la Nouvelle-Angleterre.

Entre les différents gros promoteurs existait une sorte de pacte non écrit, qui permettait aux gros noms de la lutte de travailler tantôt dans une région, tantôt dans une autre.

Mais au fin fond de l'affaire, raconter l'histoire de la lutte professionnelle, c'est raconter l'histoire de la télévision. Les deux ont fait un mariage idéal, c'est-à-dire que chaque partenaire y trouvait son intérêt. On n'a qu'à se rappeler les débuts de notre télévision, le mercredi soir tout particulièrement, où l'on montrait *La famille Plouffe*, de Roger Lemelin, et *La lutte au Forum* avec Michel Normandin, une commandite de la brasserie Dow.

La lutte et la télévision étaient si bien identifiées l'une à l'autre qu'il y avait des gens qui disaient: «Je me suis acheté un appareil de lutte». Pour ce qui est de la lutte elle-même, deux hommes l'ont révolutionnée de fond en comble: Boy Buddy Rodgers et Georges George. Ils ont été les pionniers des gros noms d'aujourd'hui comme Macho man Savage et Hulk Hogan. Rodgers et George avaient compris, eux, qu'il fallait lutter plus en fonction des gens assis dans leur salon devant leur appareil de TV que des spectateurs dans les estrades.

L'avènement de la télévision des combats de lutte a aussi révolutionné l'organisation même de la lutte. Le grand pionnier des promoteurs a été Vince McMann, le grand-père de Vince McMann qui dirige toute la lutte professionnelle aujourd'hui. Le grand-père, avant de vendre l'entreprise à son fils pour 48 millions de dollars, le grand-père avait compris tout ce que la télévision pouvait apporter à la lutte et en faire un succès. Mais le véritable génie, c'est son petit-fils, qui a étendu son empire à toute l'Amérique du nord en créant la World Wrestling Federation. Je l'ai rencontré une fois à New York. C'est un gars qui préfère écouter, qui enregistre tout.

Lui, un jour, il s'est dit qu'il ne pouvait pas faire tout cela tout seul, qu'il lui fallait des conseillers en marketing. Alors il est allé voir une compagnie new-yorkaise de marketing, et ça lui a coûté 750 000 $. Cette compagnie-là a analysé le marché propice à la lutte, et a fait les portraits-robots des lutteurs-type que les gens aimeraient voir lutter, tant sur place qu'à la télévision.

Vince McMann a dû surmonter aussi une grande difficulté, car les grands réseaux de la télévision américaine levaient le nez sur la lutte. Il a pensé alors à faire son propre réseau, soit le câble. Avec le résultat que les cotes d'écoute de la lutte aujourd'hui sont absolument phénoménales et que tout le monde connaît *Macho Man* et la *belle Élisabeth*. Hulk Hogan est un phénomène en lui-même. Lui sait comment jouer avec la foule, la faire mettre debout, l'exciter, la pâmer, autant les femmes que les hommes. Il y a de l'électricité dans l'air quand il surgit dans l'arène et gonfle ses muscles. Remarquez avec quelle habileté il tend l'oreille à la foule, et lui fait comprendre qu'elle ne crie pas assez fort, qu'elle ne l'acclame pas comme il le mérite.

C'est un Dieu, Hulk Hogan. Tout le monde veut le voir, le toucher. C'en est même devenu un problème de sécurité dans les villes où il vient lutter. Les policiers doivent dresser des barrages, lui faire un couloir, autrement la foule l'écraserait. J'ai eu l'honneur de rencontrer Hulk Hogan, de converser avec lui. C'est un homme extrêmement sympathique, un gars qui a le coeur sur la main. Rappelez-vous les souhaits de prompte convalescence qu'il m'a faits à la télévision. Il n'a pas chargé une cenne noire. Il l'a fait, m'a-t-il dit, parce que j'avais tout donné à la lutte, parce que j'en avais toujours plus donné au public pour son argent.

La lutte professionnelle semble avoir des éclipses, c'est vrai, mais elle monte sans cesse, comme d'un plateau à l'autre dans une haute montagne. Regardez les succès des différents *Wrestlemania*. C'est par centaines de millions de dollars que les recettes se comptent aujourd'hui. Ce qui nous amène à nous poser cette question:

— Comment se fait-il que la lutte soit si populaire?

CHAPITRE 44

Pourquoi la lutte est-elle si populaire?

Si la lutte professionnelle est si populaire, si elle attire des foules de plus en plus nombreuses grâce à la télévision, c'est tout simplement parce qu'elle répond à un besoin naturel qui remonte aux temps préhistoriques de l'homme des cavernes.

La lutte est en soi la forme la plus simple et la plus naturelle, et du jeu, et du combat. Contrairement à la boxe où seuls servent les poings contre l'adversaire, la lutte recourt à toutes les parties du corps humain. De tous les temps l'homme a joué ou s'est battu corps à corps. On n'a pas besoin d'être un grand psychologue ni d'avoir lu le dictionnaire pour constater que les enfants, dès leur bas âge, exécutent instinctivement les gestes de la lutte lorsqu'ils se tiraillent avec leurs petits camarades.

Qui, durant son enfance, son adolescence, n'a pas empoigné un camarade de jeux et ne s'est pas roulé par terre dans un corps à corps classique? Observez une bataille de rue violente. Les poings sont employés, bien sûr, mais aussi les pieds, les jambes, les prises du buste et de la tête.

C'est d'abord la simplicité même des règles du jeu de la lutte qui la rend facile à suivre et à comprendre. Et c'est la violence disciplinée qu'elle comporte qui attire les foules, autant les femmes que les hommes.

Ne nous racontons pas d'histoires! Il y a en chacun d'entre nous un degré de violence qui cherche à s'exprimer. Combien de fois m'a-t-on dit: «J'aimerais bien avoir votre force et votre habileté pour battre untel ou remettre quelqu'un à sa place!» Battre le *boss*, se venger d'un camarade de travail qui nous écoeure, régler son compte à un gars dont la force nous fait peur, voilà ce que le lutteur fait en votre nom dans l'arène.

D'une façon plus générale, la lutte simplifie clairement ce qu'on appelle le «combat de la vie». D'un bord, le bon, le héros, celui que la foule aime et admire. De l'autre bord il y a le gros méchant, le vilain, qui représente toutes les personnes que nous haïssons ou dont on a peur dans la vie. C'est clair, c'est net. Blanc et noir. La foule s'identifie au bon, au héros. L'amateur de lutte se met dans la peau du bon, et c'est lui qui donne sa volée au vilain.

C'est ce qui explique l'idolâtrie qu'inspirent certains lutteurs d'hier et d'aujourd'hui. Yvon Robert à une certaine époque, Hulk Hogan de nos jours. Je n'oublierai jamais de ma vie ma première rencontre avec un lutteur en chair et en os. J'avais quatre ou cinq ans, et j'accompagnais mon père dans je ne me souviens plus quelles circonstances. En tout cas, mon père m'avait présenté au lutteur Paul Lortie. Il fumait un gros cigare, je m'en souviens comme si c'était hier. Il m'avait serré la main. J'étais tout tremblant d'émotion d'avoir touché à un homme comme Paul Lortie. Je flottais en l'air. C'était le plus beau jour de ma vie.

Cinquante ans plus tard, je me suis souvenu de cette émotion quand j'ai rencontré Hulk Hogan. Je n'ai eu à ce moment-là qu'un seul grand regret: que mon père n'ait pas été avec moi ce soir-là. J'aurais tellement aimé lui rendre la politesse et le présenter à Hulk Hogan.

CHAPITRE 45

Témoignage de John Batista, cabaretier, amateur de lutte

Ça fait bien vingt-cinq ans au moins que je suis la lutte professionnelle et la carrière de monsieur Mad Dog Vachon. Mon père et ma mère étaient des fous de la lutte, et nous emmenaient, mes trois frères et moi, voir la lutte à l'église *La Madona de Pompei*. C'est là que j'ai vu Mad Dog Vachon pour la première fois, et il est tout de suite devenu mon lutteur préféré.

C'est drôle, n'est-ce pas, aimer un vilain? Mais pour moi il n'était pas un vilain, il était seulement un petit homme qui devait affronter des colosses et se montrer trois fois plus habile et plus rapide qu'eux pour en triompher.

Je l'ai toujours dit, bien avant qu'il devienne une grande vedette à sa manière: monsieur Mad Dog Vachon, c'est un petit homme avec un coeur de Boeing 727 dedans. Il n'avait peur de personne. Plus il recevait de mauvais coups, plus il y allait de bon coeur.

Dans la vie privée, c'est un monsieur, un homme qui a des manières et qui sait vivre. Je l'ai rencontré en personne, la première fois, il doit y avoir quinze ans de cela, au bar Picadilly de l'ancien hôtel Mont-Royal, rue Peel. Moi, dans ce temps-là, je travaillais pour mon oncle, au restaurant Poppy's, et un ami à moi, Nick Christofero, qui s'occupait du syndicat des clubs de nuit, m'avait présenté à monsieur Mad Dog, qui discutait d'affaires avec deux ou trois autres gars.

Je l'ai revu et je lui ai reparlé plus tard quand il luttait au Centre Paul-Sauvé. Ce que j'aimais de lui, dans l'arène, c'est qu'il ne lâchait jamais dans les pires difficultés. De l'action, il en donnait au monde pour son argent, et voir lutter monsieur Mad Dog ça valait tout seul le prix du billet.

Dans le monde des clubs de nuit, quand il était *bouncer*, sa force était légendaire. Il n'y avait personne pour l'approcher. Un seul aurait pu lui tenir tête, tout un homme, Fernand Payette, mais cette bataille-là n'a jamais eu lieu, parce que Fernand Payette et monsieur Mad Dog Vachon étaient deux vieux amis.

CHAPITRE 46

La fin de ma carrière de lutteur

Après environ 13 000 combats, après je ne sais plus combien de blessures graves aux genoux et à l'épine dorsale, le temps est arrivé pour moi de me retirer de la lutte. C'était devenu un effort épouvantable de monter dans l'arène, et c'est ce qui m'a décidé de tout arrêter. Ma philosophie de la vie a toujours été de faire ce qui me plaisait, et comme je n'avais plus de plaisir à lutter, j'ai décidé que c'était assez et que le temps était venu de faire autre chose.

Mais avant de quitter l'arène de lutte une fois pour toutes, j'ai décidé de finir là par où j'avais commencé, c'est à dire par une tournée d'adieu dans une quarantaine de places au Québec. Partout où je suis passé j'ai rencontré des gens que je n'avais pas vus depuis des années, et ça m'a profondément touché qu'ils se soient rappelés de moi.

Quand je fais aujourd'hui le bilan de ma carrière de lutteur, je me considère comme un homme chanceux d'avoir voyagé autour du monde et de m'être fait des amis partout. La lutte m'a enseigné une grande leçon, c'est de savoir regarder plus loin que son nez et les frontières de sa ville, de sa province, de son pays. Grâce à la lutte je me suis fait des amis dans toutes les classes de la société et, ce qui est beaucoup plus important, des amis de toutes les races et les religions. Mon père avait fait de même et me l'avait appris. Mais ce n'est pas comme l'expérimenter soi-même dans la vie de tous les jours.

Je tremble encore à la pensée de ce que j'aurais pu devenir si je ne m'étais pas lancé dans la lutte professionnelle. Serais-je demeuré un *bouncer* de clubs de nuit toute ma vie, à côtoyer des rapaces, des criminels de toutes sortes? Combien de fois l'ai-je dit: la ligne droite: pas trop à gauche, pas trop à droite. Mais la vie de club de nuit ne favorise pas cette discipline de vie, bien au contraire. Je le répète, j'aurais pu finir mes jours au fond d'une ruelle avec une balle de revolver dans la tête ou dans la nuque. Ce qui est arrivé à Gerry Turenne, ce qui est arrivé à ce dur de dur qu'était Marinello. Cela aurait fort bien pu m'arriver à moi.

Puis j'ai eu l'accident dont je vous ai parlé au début de ce livre, qui m'a coûté une jambe. Ça vous secoue, une expérience pareille. Comme ça vous secoue de vivre dans une maison de réhabilitation comme Lucie-Bruneau, où l'on est entouré de cas bien plus pénibles que le sien. Grâce à cet accident, grâce à mon séjour forcé dans un lit et une chaise roulante, j'ai appris ce qui est vraiment important, essentiel, dans la vie d'un homme, et ce qui est secondaire. Je ne regarde plus aujourd'hui la vie et les gens comme auparavant. Je comprends, maintenant, l'importance d'avoir une bonne santé et d'être robuste. J'ai appris que l'argent auquel on attache tant d'importance n'en a aucune, quand on considère le fin fond des choses. J'ai appris que les amis sont un bien précieux, irremplaçable. J'ai aussi et peut-être surtout appris à être indulgent face aux faiblesses des autres et à ne plus juger personne.

De ma vie de lutteur professionnel je n'ai qu'un regret: celui de ne pas avoir réussi à créer le syndicat des lutteurs, dont ils auraient tout à gagner. Les joueurs de hockey, de baseball, de football y sont parvenus, à former leur propre association qui protège leurs droits et leurs conditions de travail. Mais je n'ai pas réussi avec les lutteurs. Ils sont trop individualistes pour se former en syndicat. Un jour, je me suis retourné, et il n'y avait plus personne derrière moi, tout le monde avait disparu dans la brume. J'aurai au moins eu le mérite d'avoir essayé. J'ai compris, ce jour-là, à quel prix mon frère Arthur avait payé son audace de former le syndicat des policiers de la Sureté du Québec. Si jamais vous rencontrez mon frère Arthur, qu'on appelle le «communiste» de la famille, demandez-lui de vous conter les épreuves qu'il a traversées pour améliorer le sort de ses compagnons de travail...

Me voilà donc aujourd'hui dans une nouvelle vie, celle du monde du spectacle. Grâce à mes commerciaux de la bière Labatt, j'ai obtenu d'autres jobs dans le milieu, où j'espère finir mes jours. C'est drôle, la vie. Le président de Labatt du Canada, mon *boss*, c'est Pierre Desjardins. Nous nous sommes connus lorsque nous étions enfants, par l'entremise de nos pères, qui étaient de grands amis.

Je ne devrais sans doute pas conter cela aujourd'hui, mais je vais le faire quand même. Pierre Desjardins était alors un petit peu baquet et sa mère le gâtait *épouvantable*. Il n'y avait pas de saint danger qu'il devienne membre de la gang à Vachon, le Pierrot. Il nous trouvait bien trop *tough* à son goût. Et voyez ce que la vie nous a réservé. Il est le grand patron de la Labatt, du Canada tout entier, et moi je ne fais que des commerciaux pour qu'il vende mieux sa bière. Ce qui prouve... Ce qui prouve quoi, au fond? Rien. L'important, c'est que Pierre soit heureux dans sa job, et moi dans la mienne. J'insiste ici pour faire une mise au point: je n'ai pas eu la job parce que j'avais des connections, ça, je vous le jure.

J'ai fait pas mal de choses dans ma vie, mais il me reste un grand rêve à réaliser. Ce serait d'écrire la pièce et de jouer moi-même le rôle de *Monsieur Parent*. Si vous n'êtes pas trop fatigué de me lire, c'est l'histoire que j'aimerais vous conter en terminant ce livre.

CHAPITRE 47

Monsieur Parent

Mon personnage s'appelle monsieur Parent. Il est veuf. Il a élevé sa famille, et ses enfants ont quitté le foyer pour vivre ailleurs. Il est maintenant vieux, sans emploi, sans but dans la vie. Il demeure toujours dans sa vieille maison, mais il n'a plus la force de la garder propre comme autrefois.

Il passe ses journées seul dans la seule pièce qui soit habitable. On le voit peu dans le voisinage où il ne sort que pour faire ses courses, le strict nécessaire. Il se nourrit mal. Il faiblit. Une malchance, il échappe ses lunettes, qui se brisent, et il essaie de les réparer avec du ruban adhésif.

Il sort de moins en moins de sa maison. Quand les enfants le voient passer dans la rue, ils se moquent de lui, et l'appellent «le vieux maudit fou». Seul dans sa pièce, il lit les dernières lettres que lui ont envoyées ses enfants, il y a très longtemps de cela. Le dernier de ses enfants à lui avoir parlé lui avait conseillé d'aller finir ses jours dans une maison pour personnes âgées, où l'on prendrait soin de lui. Monsieur Parent a refusé. Il ne voulait pas quitter la maison où se trouvaient les derniers objets qui avaient appartenus à sa femme dont la photographie encadrée se trouve accrochée au mur près de sa chaise berçante. Il la contemple pendant des heures en tournant son jonc de mariage à son doigt. Jamais il ne lui vient à l'idée de penser en mal de ses enfants qui ne viennent jamais le voir. Il leur trouve des excuses: ils sont mariés, ils ont leur famille dont ils doivent s'occuper. Ils viendront bien un jour lui rendre visite.

Le temps passe. Puis, un jour, monsieur Parent fait une paralysie cérébrale. Son visage en est tout tordu. Personne pour lui venir en aide. Chez lui, parce qu'il ne répondait pas au téléphone, ni à la porte, on a fini par penser que personne n'habitait plus cette maison abandonnée, et finalement on a coupé le téléphone, puis l'électricité.

M. Parent a froid. Alors, de peine et de misère, il met tout son vieux linge sur lui. Il ne se couche même plus dans son lit, mais demeure tout le temps écrasé dans sa chaise berçante. Une nuit, il fait un rêve. Il se trouve dans un tribunal, devant un juge, seul, sans avocat. Il demande si le juge peut faire quelque chose pour lui. «Non, répond le juge, je ne peux rien faire pour vous parce que vous avez plaidé coupable!».

— Coupable de quoi, monsieur le juge? Le juge lui répond lentement:

— Votre crime est d'avoir aimé. Vous avez donc été condamné à la solitude et à mourir seul...»

Voilà le personnage que j'aimerais jouer moi-même dans une dramatique d'une heure à la télévision. J'y mettrais toute mon expérience de la vie, mes joies, mes peines, mes déceptions. Il n'y aurait pas d'autre personnage. On verrait seulement monsieur Parent du début à la fin de la pièce, mourir lentement de la solitude et du froid...

FIN

De l'enfance à l'âge adulte

Mme Marguerite Picard-Vachon, mère de Maurice.

M. Ferdinand Vachon, père de Maurice.

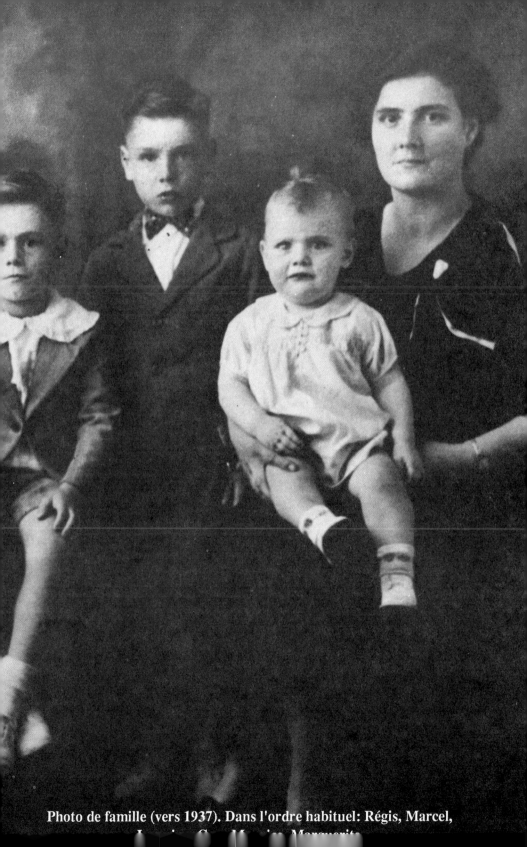

Photo de famille (vers 1937). Dans l'ordre habituel: Régis, Marcel,

Marcel vient de mettre Maurice
en état d'arrestation.

Guy, à l'époque des bouclettes.

Paul, un frère de Maurice, et le chien de la famille, Mickey.

Maurice, Jeannine, Guy et Marcel.

Marcel, Maurice, Guy, Jeannine et Marguerite.

À l'époque des trottoirs de bois. Régis, Jeannine
et Pierre (un autre frère de Maurice).

Maurice, Marcel et Guy avec leurs parents.

Maurice, Guy, Jeannine, Mickey et Marcel.

Sages (en une rare occasion), Guy, Maurice et Marcel.

Maurice s'exerçant à faire le pont
avec son frère Guy. (Août 1946)

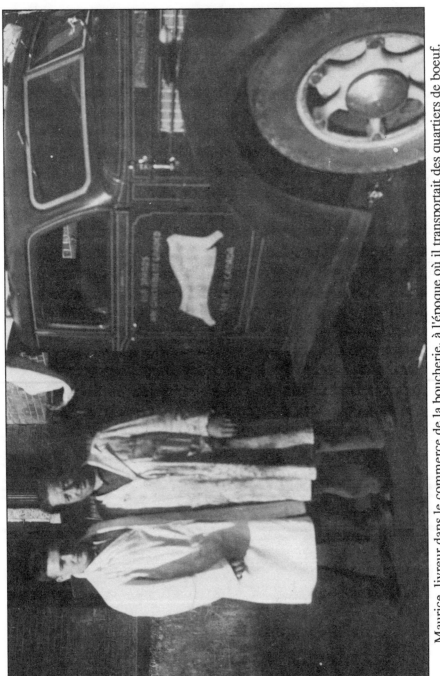

Maurice, livreur dans le commerce de la boucherie, à l'époque où il transportait des quartiers de boeuf.

Maurice à Prince-Albert, Saskatchewan.

Maurice, au temps des récoltes, dans l'Ouest canadien.

Lutte amateur

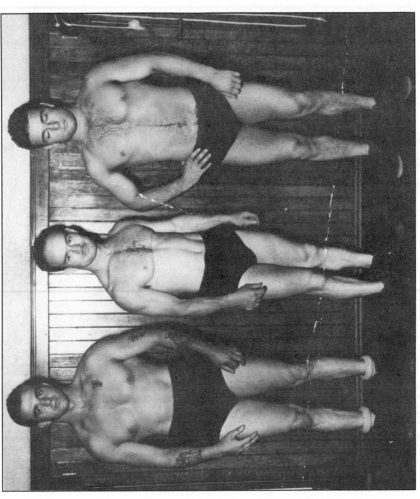

Trois lutteurs représentant la province de Québec aux Jeux olympiques de Londres en 1948: Fernand Payette, Mario Crête et Maurice Vachon.

De haut en bas, et de gauche à droite: Maurice, son père, Guy, Marcel, Paul et Régis, Arthur (un autre frère de Maurice) et Pierre. Manque à l'appel, André.

À l'époque des Jeux olympiques en 1948, Armand Savoie, à droite, accompagné d'un autre boxeur.

Fernand Payette, un grand ami de Maurice, lors des Jeux olympiques de Londres.

En banlieue de Londres. En partant de la gauche: le champion gréco-romain de la Turquie, Fred Oberlander, George Hackenschmidt, Fernand Payette, Ken Harrison et Maurice Vachon.

La ferme des parents de Maurice, achetée en 1948 à Mansonville,
dans les Cantons de l'Est.

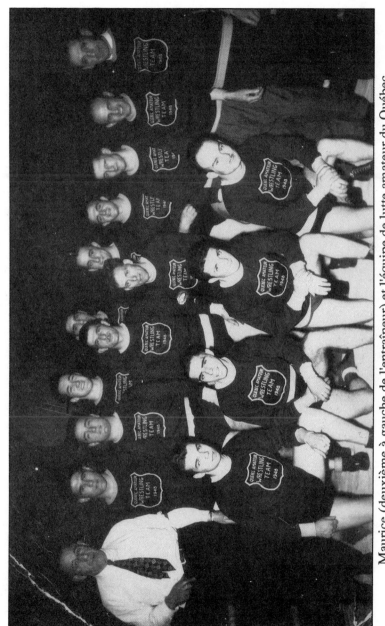

Maurice (deuxième à gauche de l'entraîneur) et l'équipe de lutte amateur du Québec.

Georges Fichaud, Jim «the Chief» Cowley, Terry Finn.

Départ pour les Jeux olympiques de Londres. Fernand Payette, Maurice, Mario Crête accompagné de son épouse et de sa famille.

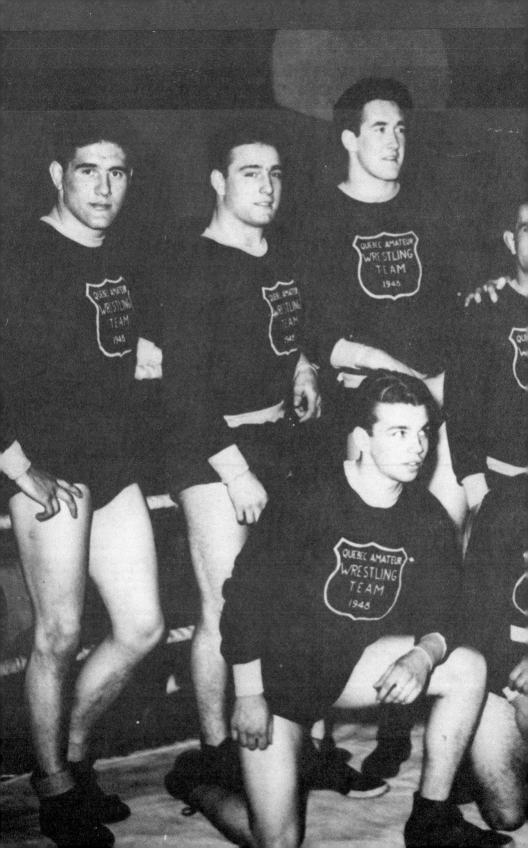

L'équipe de lutte amateur du Québec.
Maurice est deuxième à gauche, sur la deuxième rangée.

Départ pour les Jeux de l'Empire britannique, à la gare Windsor.
Deuxième à droite, deuxième rangée, Maurice entouré d'autres athlètes
dont Gérald Gratton, Rosaire Smith et Roland Millard.

Les lutteurs représentant le YMCA et la Palestre nationale aux Jeux de l'Empire britannique en 1950. On remarque le célèbre entraîneur Frank Saxon et ses élèves. Maurice se trouve debout à droite.

Lors des Jeux de l'Empire britannique, en 1950, à Oakland en Nouvelle-Zélande, l'équipe de lutte représentant le Canada. Maurice est le deuxième à gauche, deuxième rangée.

Lutte professionnelle

Maurice Vachon à ses débuts chez les professionnels.

Le célèbre combat Kowalski qui eut lieu le 29 mai 1973 au parc Jarry.

Une péripétie lors du célèbre combat Kowalski-Vachon
devant une foule record de 29 127 spectateurs.

Mad Dog se déchaîne.

La bagarre Carpentier-Vachon à Verdun.

Mad Dog à son plus «rude» contre Édouard Carpentier.

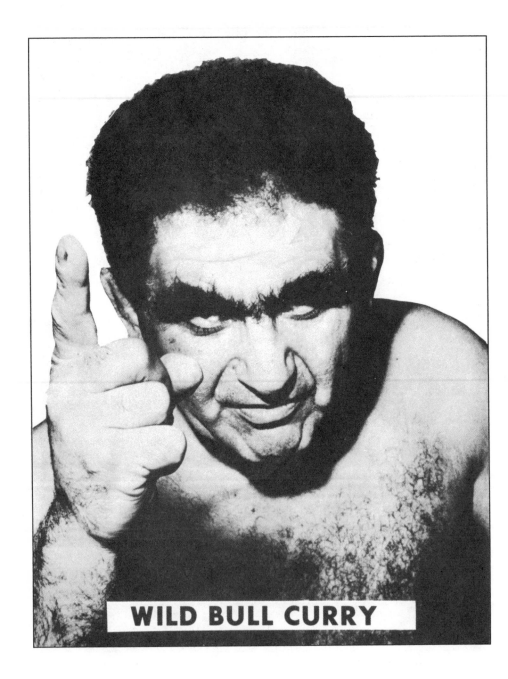

WILD BULL CURRY

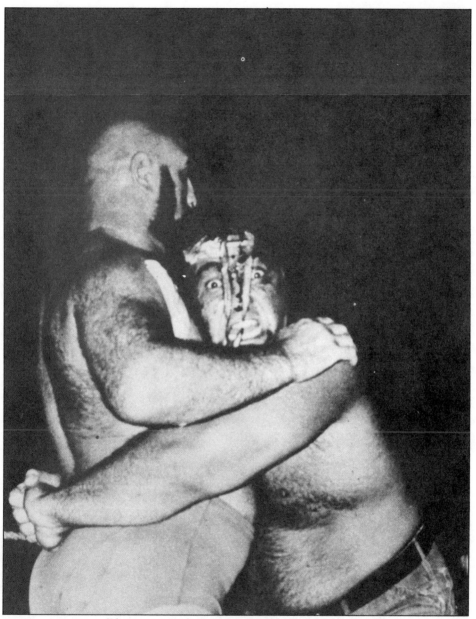

Photo-souvenir: Le sanglant duel de l'été 72.
Maurice Mad Dog Vachon vs Jos Leduc.

L'un des combats Vern Gagne–Mad Dog Vachon.

Mad Dog se débarrasse de l'arbitre Georges Gagné lors d'un combat par équipes avec son frère Paul à Québec.

La prise du marteau-pilon aux dépens de Paul Leduc.

Une période d'accalmie entre les vieux adversaires Vachon et Vern Gagne.

Paul et Mad Dog Vachon, champions du monde en lutte par équipes.

Une physionomie typique de Mad Dog au combat.

Dans l'ordre habituel: Paul Vachon, Harry Madison, Bruno Sammartino, Raymond Berthelet et le fameux photographe Tony Lanza.

Mad Dog lançant un défi à la foule.

Mad Dog, champion du monde, reconnu par l'American Wrestling Association au début des années 60.

Cahier-souvenir

La famille Vachon au complet lors d'une réunion sociale, au début des années 60.

La signature du contrat en vue du combat Jacques Rougeau-Mad Dog Vachon. On reconnaît, debout derrière eux, Jos Bélanger, Johnny Rougeau, Ray Marshall et Paul Vachon.

Le géant Ferré en compagnie de Frank Valois et Paul Vachon.

De gauche à droite: Paul Vachon, Uncle Elmer, Harry Madison,
Mad Dog, Hillbilly Jim, Raymond Berthelet, Tony Lanza.
À genoux, Bruno Sammartino.

L'animateur de radio Roger Drolet interviewant Mad Dog à l'époque de ses combats à Trois-Rivières.

Mad Dog en compagnie d'un vieux copain de la lutte amateur, Mario Crête.

Maurice remerciant une infirmière de l'hôpital Santa-Cabrini
où sa mère séjournait.

Mad Dog, président des championnats canadiens de lutte olympique à Alma.

Maurice visitant sa mère et une de ses compagnes, Mme De Carlo, à l'hôpital Santa-Cabrini.

Viviane et Kathie, la soeur et l'épouse de Maurice.

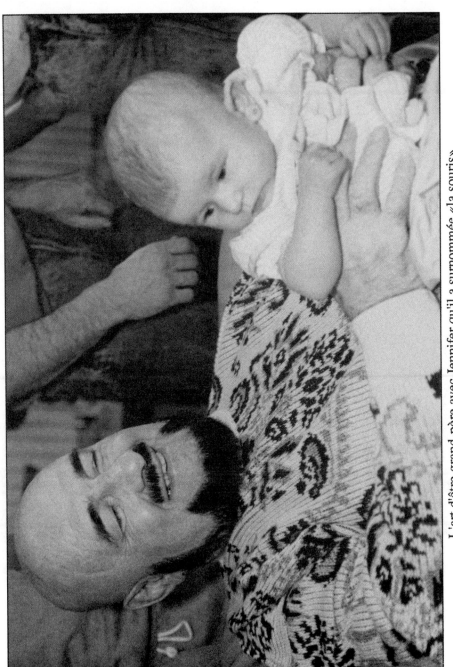

L'art d'être grand-père avec Jennifer qu'il a surnommée «la souris».

Maurice et son fils Stéphane.

Jean-Pierre et son père, fiers l'un de l'autre.

Maurice Michel Vachon, coincé entre son père et un mastodonte, le géant Gustave.

Mad Dog en séducteur.

Un tête-à-tête entre Maurice et son gérant d'affaires, Michel Longtin.

Armand Rougeau recevant des conseils du vieux maître.

Images d'aujourd'hui

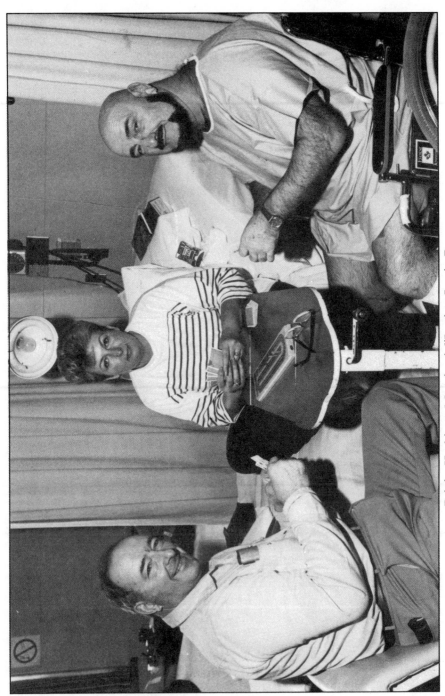

Régis, Kathie et Maurice à l'Institut Lucie-Bruneau.

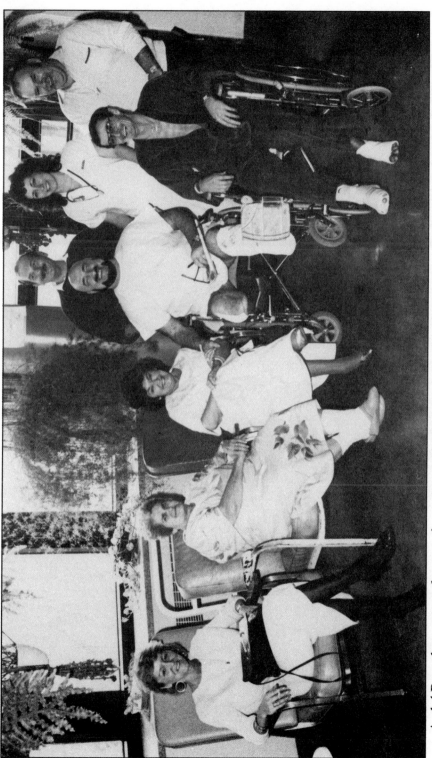

André Beauchamp et quelques patients entourant Mad Dog à l'hôpital Sainte-Jeanne-d'Arc, après son terrible accident.

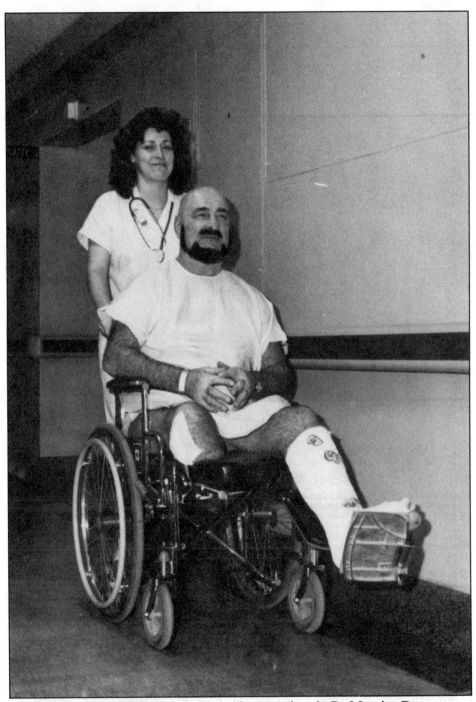

Maurice, plein d'espoir, à la suite de l'intervention du Dr Maurice Duquette.

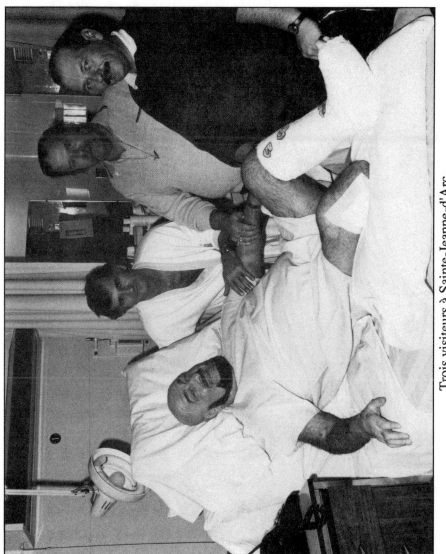

Trois visiteurs à Sainte-Jeanne-d'Arc.

L'un des innombrables témoignages d'amitié qu'a reçus Maurice Mad Dog
Vachon à la suite de son accident.

Maurice exécute ses premiers pas en compagnie de la physiothérapeute,
Mme Louise Blanchette et de la petite Marie-Ève Pothier, lors de la soirée
de lutte tenue en son honneur au forum de Montréal,
devant plus de 18 000 spectateurs.

Hélène Fontaine et Gaston L'Heureux exprimant leurs voeux de prompt rétablissement au cours de l'émission «Jasmin Centre-ville».

Pierre Lalonde apprend les rudiments de la lutte.

Une clef de bras amicale appliquée au chanteur Michel Louvain.

Avec Francine Grimaldi dans ses plus beaux atours, à la première de la pièce de théâtre «Tanzi».

Daniel Robin, Gino Brito, Omer Marchessault et Maurice se moquant des menaces d'Eddy Creatchman.

À une réunion chez Labatt en compagnie de trois grands amis, Raymond Berthelet, Gino Brito et Michel Longtin.

Maurice dans son nouveau rôle du pirate en compagnie de son bras droit, Piston, le meilleur mécanicien du monde. Il s'agit ici d'une émission pour enfants au réseau Quatre-Saisons intitulée: «Les aventures du pirate Mad Dog».

Le pirate Mad Dog avec ses moussaillons et moussaillonnes, accompagnés de deux membres de la haute direction du réseau Quatre-Saisons, M. René Gilbert, M. André Picard et le réalisateur Raymond Decary.

Raymond Decary, le réalisateur de l'émission «Les aventures du pirate Mad Dog»

Une moussaillonne peu intimidée par le pirate.

Deux excellents camarades, Michel Longtin et André Beauchamp.

En compagnie de l'animatrice Louise Deschâtelets et d'un invité.

À gauche, le journaliste Marc Simoneau de Québec rendant hommage à Mad Dog.

Un moment drôle à l'émission «Jasmin Centre-ville».

Maurice et sa femme Kathie à l'ouverture du premier **Mad Dog Burger**, rue Sainte-Catherine.

Lors du tournage d'une réclame pour le compte de la compagnie Keystone.

«Ti-Bob» Cloutier et Maurice, une amitié qui dure depuis plus de 40 ans.

Claude Blanchard et Maurice, dans un moment de folie douce.

Devinez qui vous offre quoi?

Lors d'une conférence de presse de la World Wrestling Federation au restaurant Corneli.
On reconnaît dans l'ordre habituel, Paul Vachon, Raymond Rougeau, Macho Man Savage,
la «belle Élizabeth», et Édouard Carpentier.

La signature du contrat avec la maison d'édition.
Le relationniste André Beauchamp, Yves Dubé, le directeur littéraire
de Guérin littérature et l'auteur, Maurice Mad Dog Vachon.

REMERCIEMENTS

L'éditeur se joint à l'auteur pour remercier
chaleureusement les personnes qui ont
gracieusement permis la reproduction de leurs
photographies:

Shirley Bishop, pour la page couverture;
Erik Peters, pour le dos de la couverture
et plusieurs pages de l'intérieur.

Les autres photographies de l'intérieur:
Tony Lanza, Guy Pothier, Caruso et Linda Boucher.

TABLE DES MATIÈRES

Hors-texte

DE L'ENFANCE À L'ÂGE ADULTE

LUTTE AMATEUR

LUTTE PROFESSIONNELLE

CAHIER-SOUVENIR

IMAGES D'AUJOURD'HUI

Achevé d'imprimer
en l'an mil neuf cent quatre-vingt-huit
sur les presses des ateliers Lidec inc.,
Montréal, Québec.